Ronald

RONALD

Ronald

La Colección de L. Ronald Hubbard

BRIDGE PUBLICATIONS, INC.
5600 E. Olympic Blvd.
Commerce, California 90022 USA

ISBN 978-1-61177-725-3

Se agradece de manera especial a la L. Ronald Hubbard Library por el permiso para reproducir las fotografías de su colección personal. Reconocimientos adicionales: pp. 1, 9, 27, 61, 75, cubierta posterior Dman/Shutterstock.com; pp. 2–3 Luril Konoval/Shutterstock.com; pp. 19, 23, 53, 55 kanate-/Shutterstock.com; pp. 58, 59 silver-john/Shutterstock.com; p. 60 Anton Petrus/Shutterstock.com.

Impreso en Estados Unidos

The L. Ron Hubbard Series: Rehabilitating a Drugged Society—Spanish Latam

Los programas de *Purificación* y de Desintoxicación para una Nueva Vida de Narconon no pueden ser considerados como recomendación de tratamiento médico o medicación y no se consideran un manejo físico para el cuerpo ni tampoco se hacen declaraciones relacionadas con esto. No hay recomendaciones ni afirmaciones médicas en lo que concierne a los programas de *Purificación* o de Desintoxicación para una Nueva Vida de Narconon o para cualquiera de los regímenes de vitaminas o minerales que se describen en esta publicación.

Nadie debería emprender los programas de *Purificación* o de Desintoxicación para una Nueva Vida de Narconon ni ninguno de sus regímenes sin antes consultar a un médico facultado autorizado y obtener su autorización calificada. Ni el autor ni el editor dan ninguna garantía o representación en lo referente a la efectividad de los programas de *Purificación* o de Desintoxicación para una Nueva Vida de Narconon.

La Colección de L. Ronald Hubbard

FILÁNTROPO REHABILITAR UNA SOCIEDAD DROGADA

Bridge Publications, Inc.®

CONTENIDO

Una Introducción a
L. Ronald Hubbard

EXAMINEMOS LO QUE LOS DESCUBRIMIENTOS DE L. RONALD Hubbard han revelado en cuanto al uso de las drogas como medio de control social, y "otras crueles verdades" sobre este tema.

La metodología de L. Ronald Hubbard en cuanto a la rehabilitación y la educación sobre las drogas se emplea actualmente en unas cincuenta naciones, y se reconoce que ha salvado a al menos un millón de personas que estaban en riesgo de consumirlas. Entre ellas también se incluyen las decenas de miles de adictos terminales, y un gran número de personas que consumen drogas como pasatiempo. Sus descubrimientos relacionados con los efectos bioquímicos de drogas y toxinas han sido aclamados universalmente como grandes avances, y en vista de que tienen un índice de éxito incomparable entre los usuarios previamente incurables de anfetaminas, cocaína y opiáceos, su descripción más apropiada es *punto de referencia;* es decir, este es el programa de rehabilitación con el cual se miden todos los demás.

El tema de esta publicación es la forma en que L. Ronald Hubbard llegó a descubrir la solución más efectiva del mundo para la drogadicción, y lo que significa ese descubrimiento para una cultura que vive una crisis monumental en cuanto al abuso de drogas. Aquellos que conocen a LRH sólo por su fundación de Dianética y Scientology encontrarán esta historia muy esclarecedora, pues he aquí tanto otra dimensión del hombre como una muestra de lo que una tecnología espiritual puede lograr frente a las codicias físicas. Quienes están activos en la lucha contra las drogas, en su prevención y tratamiento, también considerarán que esta publicación es una revelación; pues aquí sinceramente se encuentra lo que han estado buscando, o de lo que han perdido la esperanza de encontrar.

Para los lectores que no estén tan familiarizados con lo que se ha descrito legítimamente como un consumo de drogas pandémico, empecemos con unos cuantos hechos pertinentes. En primer lugar, los habitantes de la Tierra gastan más dinero en drogas que en comida, ropa, educación o cualquier servicio social. Entre opiáceos, anfetaminas y sustancias psicotrópicas, más de 200 millones de hombres,

"Uno le está ofreciendo su vida a la persona"—L. Ronald Hubbard mujeres y niños consumen regularmente drogas ilícitas, y se encuentran en todas partes. De hecho, el concepto popular del adicto furtivo de los barrios bajos es un mito. La mayoría de aquellos que abusan de las drogas tienen empleos y no conocen límites geográficos o socioeconómicos. Son americanos, europeos, asiáticos y africanos, y viven en todo tipo de realidades políticas. Para al menos contener esta situación, se gastan más de 400 mil millones de dólares al año en la lucha y prevención del consumo de drogas y en el tratamiento de la drogadicción. Sin embargo, esto no se compara con el costo de la drogadicción en cuanto a pérdidas en productividad, criminalidad y violencia generalizada. Entonces, también, ¿cuál es el costo del sufrimiento?

Si todavía no hemos citado el consumo de fármacos legales, incluyendo psicotrópicos escandalosamente lucrativos, no es porque ese tráfico carezca de importancia. De hecho, a la luz del consumo de psicotrópicos legales (recetados por médicos que son premiados con millas de vuelo con cada receta), la supuesta guerra contra las drogas ilícitas se convierte en algún tipo de farsa. Para entrar en detalles: el consumo de psicotrópicos actualmente supera al de todo opiáceo y estimulante ilegal. Además, los antidepresivos por sí solos generan más de mil millones de dólares al año para lo que se ha descrito acertadamente como una "industria de estado de ánimo rápido" que comercializa drogas para el tratamiento de "condiciones normales de la vida que se anuncian como trastornos", los cuales literalmente deben su existencia a una votación psiquiátrica. También están los metilfenidatos igual de rentables (y potentes) que se reparten a niños para supuestos trastornos de aprendizaje que igualmente han sido inventados como parte de una campaña de marketing. En efecto, esto mucho antes de los estudios científicos que se hicieron sobre la violencia psicofarmacológica: "Las drogas pueden, aparentemente, cambiar la actitud original de una persona a una que secretamente alberga hostilidades y odios inhibidos".

Es más que evidente que tenía razón (de hecho, lo señalan las microscópicas etiquetas de advertencia

"Las drogas pueden, aparentemente, cambiar la actitud original de una persona a una que secretamente alberga hostilidades y odios inhibidos".

con un esfuerzo publicitario de miles de millones de dólares a fines de dejar muy claro el mensaje central de todo consumo de drogas: "Mejora tu vida mediante la química", los fármacos que se venden en las farmacias y no requieren prescripción médica definitivamente son parte del problema. Por otra parte, mientras que Zyprexa sigue siendo una de las drogas más vendidas en toda la historia de la industria farmacéutica, se prevé que las ganancias de la nueva generación de antidepresivos batirá todos los récords. Ya que, después de todo, ahora se ha *condicionado* a las poblaciones a consumir drogas que alteran el estado anímico.

Huelga decir que las repercusiones son inmensas, sobre todo a la vista de los descubrimientos de L. Ronald Hubbard. Por ejemplo, él nos dice que aunque se sabe del colapso fisiológico que conlleva el consumo de drogas, que no se sabe del colapso mental y emocional. Nos dijo específicamente, y de las drogas psicotrópicas). Para citar sólo algunos índices reveladores: desde la comercialización masiva de las drogas psicoterapéuticas, los fármacos han sido la causa de más de setenta homicidios, cada uno de los cuales se perpetró de manera indiscriminada. Es decir, estamos hablando de asesinos enfurecidos a base de drogas, que matan a perfectos desconocidos sin motivo imaginable alguno. Desde la introducción de los metilfenidatos, drogas que la DEA de Estados Unidos describe como una clara fuente de comportamiento violento, la violencia estudiantil se ha quintuplicado. Luego está el hecho de que aquellos a quienes se les han administrado drogas psicotrópicas en correccionales son 300 ó 400 veces más propensos a amenazar o mutilar a sus compañeros no medicados. Y para colmo, estudios sobre la criminalidad que ha brotado a partir de la nueva generación de sedantes hipnóticos señalan un efecto tipo "Dr. Jekyll y

Mr. Hyde". Es decir, los sujetos mostraron cambios de personalidad repentinos y radicales hacia un comportamiento criminal. Más aún, e incluso más pertinente a las conclusiones científicas: "Sus crímenes eran extremadamente violentos".

Se podrían citar muchos casos más: la espantosa crueldad de los "niños soldados" africanos y asiáticos también se ha atribuido a las drogas psicotrópicas; y se descubrieron almacenes de drogas hipnóticas en campamentos terroristas del Medio Oriente que supuestamente se utilizan para condicionar a los terroristas suicidas. Como es evidente, el argumento final de L. Ronald Hubbard no requiere de explicación adicional: "*El ámbito de las drogas abarca el mundo entero. Está nadando en sangre y miseria humanas*".

"El ámbito de las drogas abarca el mundo entero. Está nadando en sangre y miseria humanas".

Como respuesta, sin embargo; y también abarcando al mundo entero, él nos ha proporcionado una tecnología para la rehabilitación de drogadictos. Se desarrolló originalmente para resolver lo que las drogas representan como escollo espiritual para aquellos que han entrado a Scientology, y comienza con el ahora famoso Programa de Purificación. Este consiste en un régimen cuidadosamente diseñado que incluye suplementos alimenticios, ejercicio y sauna, y ha sido aclamado como el *único* medio para eliminar de los tejidos adiposos partículas residuales de drogas y toxinas. El hecho de que los tejidos adiposos sirven como depósito para las drogas y sustancias tóxicas fue, por supuesto, otro descubrimiento de L. Ronald Hubbard, y a la larga condujo a mucho de lo que ahora conocemos como medicina ambiental. También condujo a una nueva apreciación de cómo las drogas pueden afectar a usuarios años después de su ingestión, y de por qué el problema no está limitado de ninguna manera a sustancias ilícitas. De hecho, se ha encontrado que tanto las drogas medicinales como las sustancias contaminantes se alojan en los tejidos adiposos, y, como veremos, la eliminación de tales residuos resulta ser totalmente milagrosa.

El segundo aspecto de la respuesta de L. Ronald Hubbard a las drogas utiliza procedimientos de rehabilitación que provienen directamente de Dianética y Scientology. Se basa en el hecho de que las drogas siempre e invariablemente son un problema de la mente y del espíritu. Por consiguiente, aquí hay procedimientos para aliviar la angustia mental y espiritual que el consumo de drogas conlleva: el pensamiento confuso, el debilitamiento de la consciencia y, lo que es más importante, la razón por la que uno empezó a tomar drogas en primer lugar. Aquellos propensos a ignorar una solución espiritual a la adicción física encontrarán muy esclarecedora la explicación completa de estos procedimientos, pues he aquí realmente la única manera de liberar a un adicto de lo que fomenta la drogadicción por todo el mundo: el *necesitar* la droga.

Además de describir a fondo los procedimientos de rehabilitación de L. Ronald Hubbard, examinaremos la red global de los centros de Narconon que utilizan exclusivamente esos procedimientos y que, como consecuencia, gozan del índice de éxito más alto en su campo. También estudiaremos el trabajo de L. Ronald Hubbard dentro del marco de referencia más amplio de la historia de la civilización occidental, y lo que él identificó como la fuerza psicopolítica detrás de la proliferación de las drogas. Examinaremos por igual lo que las drogas han engendrado en cuanto a una criminalidad poco frecuente; ya sea infrahumana o inhumana, pero sin duda atroz. No obstante, como punto introductorio final, cabe destacar que L. Ronald Hubbard no estaba hablando por hablar cuando censuró a las drogas como "el elemento más destructivo en estas sociedades hoy en día". Él por su parte, penetró en el problema y definió la solución. Por lo tanto, ahora podemos avanzar con este subtema: así fue cómo L. Ronald Hubbard vio lo que él llamó las "crueles verdades" de las drogas, y lo que hizo al respecto. ■

CAPÍTULO UNO

La Psicopolítica de la DROGADICCIÓN

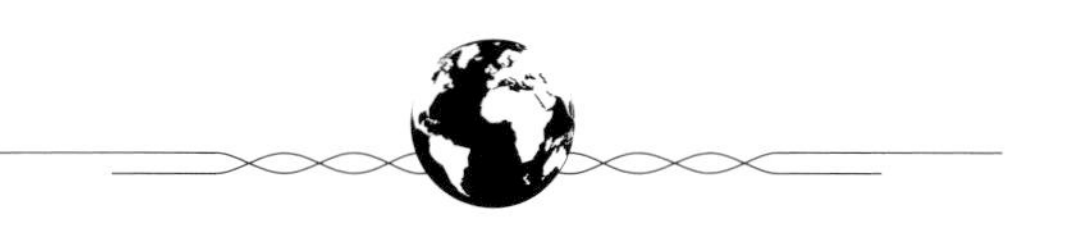

La Psicopolítica de la Drogadicción

ENTRE LAS PRIMERAS NOTAS DE L. RONALD HUBBARD SOBRE la drogadicción se encuentra una serie de observaciones de 1950 respecto a los primeros casos de experimentación con drogas por parte del gobierno de Estados Unidos que se dieron a conocer. Es una historia fascinante, sobre todo si consideramos esa experimentación como la caja de Pandora de la cual brotó toda la psicodelia y la mayor parte del uso subsecuente de drogas. No obstante, independientemente de cómo se explique este abuso moderno de las drogas, aquellas notas de 1950 son extraordinariamente pertinentes y explican en gran medida por qué se dijo que la comprensión de L. Ronald Hubbard del problema había sido exhaustiva.

La secuencia crítica de lo que hoy en día se recuerda como el caso de Dorothy "Dot" Jones, se resume de la siguiente manera: no mucho después del desarrollo de Dianética, una joven excesivamente perturbada fue llevada a la oficina de L. Ronald Hubbard en Elizabeth, Nueva Jersey. Se le describía como un caso totalmente inaccesible, sus síntomas incluían el caminar por la habitación ajetreadamente mientras murmuraba una y otra vez: "Yo mando aquí. Yo llevo las riendas." Como respuesta, a la paciente se le trasladó a una institución de Virginia (que en aquella época se atenía exclusivamente a los procedimientos de Dianética). Como comentario respecto a lo que siguió, se podría mencionar que algunos meses antes, con la ayuda de un médico de Michigan, el Dr. Joseph Winter, Ronald había examinado una amplia gama de estimulantes y sedantes en busca de una ayuda bioquímica para la recuperación de la memoria. Quienes estén familiarizados con la narcosíntesis reconocerán la condición, y aunque todo uso de drogas se condenó finalmente como impedimento a Dianética y destructivo a la personalidad en general, el beneficio que rindió en cuanto a técnicas para desenredar el caso de Dot Jones demostró ser muy valioso.

Estos son los hechos, a grandes rasgos ella era esposa de un oficial de los servicios de inteligencia del ejército, se la había drogado, se le había sometido a electrochoques y se le había hipnotizado, en un deliberado esfuerzo por controlar su comportamiento; lo cual hoy en día se conoce como control mental;

Antes de los descubrimientos de L. Ronald Hubbard, el negro arte del control mental había estado oculto, insospechado y desconocido

Ronald lo describió como dolor-drogas-hipnosis (PDH, por sus siglas en inglés: pain-drug-hypnosis). Como comentario relevante adicional, se podría mencionar que este dolor-drogas-hipnosis finalmente tendría cientos de víctimas en la periferia del servicio de inteligencia estadounidense, incluyendo supuestamente a Candy Jones, la atractiva modelo de los pósters de la Segunda Guerra Mundial. También es un factor en los archivos del perturbador caso de Sirhan Sirhan, asesino de Robert Kennedy.

El que Dianética demostrara ser el único antídoto efectivo para este proceso resultó significativo en varios aspectos, especialmente en lo que respecta a un escrutinio federal posterior sobre L. Ronald Hubbard y su organización. De manera más pertinente, sin embargo, estuvo el patrón más generalizado de abusos que fue revelado en los siguientes casos con los que se encontró entre junio de 1950 y la primavera de 1951.

Por supuesto, en retrospectiva, ahora reconocemos los rastros de un esfuerzo conjunto muy generalizado de los servicios de inteligencia y de la psiquiatría, cuyo propósito era el dominio de la voluntad humana. Conducidos en varias formas bajo nombres en clave: Bluebird (Pájaro Azul), Chatter (Parloteo), Artichoke (Alcachofa) y reunidos bajo el proyecto sombrilla, MKULTRA, los programas federales de control mental incluyeron finalmente la prueba de compuestos psicotrópicos en varios miles de ciudadanos estadounidenses. Los relatos de los abusos son innumerables, horrendos y finalmente sólo comparables a la experimentación médica en prisioneros en los campos de concentración nazis (la cual, de hecho, proporcionó mucha inspiración para

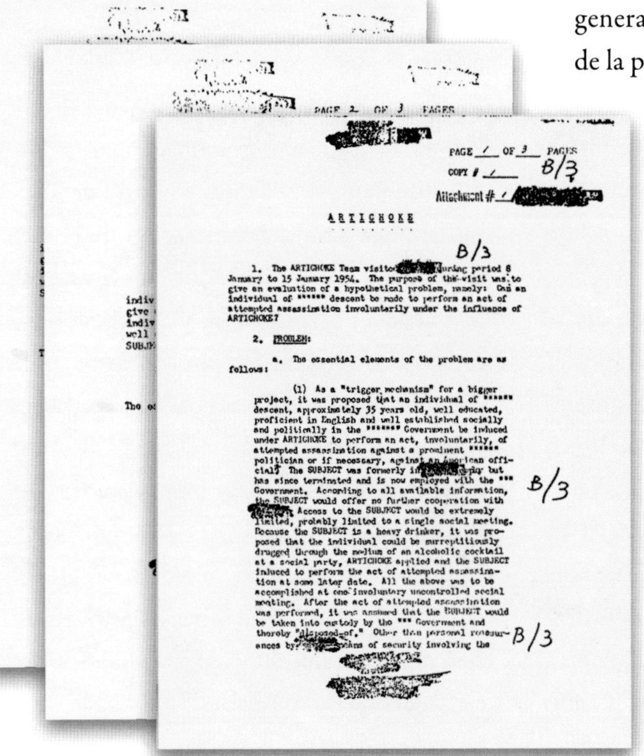
PAGE 1 OF 3 PAGES
COPY # 1 B/3
Attachment # 1

ARTICHOKE

B/3

1. The ARTICHOKE Team visited [redacted] during period 8 January to 15 January 1954. The purpose of the visit was to give an evaluation of a hypothetical problem, namely: Can an individual of ****** descent be made to perform an act of attempted assassination involuntarily under the influence of ARTICHOKE?

2. PROBLEM:

a. The essential elements of the problem are as follows:

(1) As a "trigger mechanism" for a bigger project, it was proposed that an individual of ****** descent, approximately 35 years old, well educated, proficient in English and well established socially and politically in the ****** Government be induced under ARTICHOKE to perform an act, involuntarily, of attempted assassination against a prominent ****** politician or if necessary, against an American official. The SUBJECT was formerly in [redacted] but has since terminated and is now employed with the *** Government. According to all available information, the SUBJECT would offer no further cooperation with [redacted]. Access to the SUBJECT would be extremely limited, probably limited to a single social meeting. Because the SUBJECT is a heavy drinker, it was proposed that the individual could be surreptitiously drugged through the medium of an alcoholic cocktail at a social party, ARTICHOKE applied and the SUBJECT induced to perform the act of attempted assassination at some later date. All the above was to be accomplished at one involuntary uncontrolled social meeting. After the act of attempted assassination was performed, it was assumed that the SUBJECT would be taken into custody by the *** Government and thereby "disposed-of." Other than personal reassurances by [redacted] means of security involving the

B/3

B/3

Derecha
Más de dos décadas antes de las investigaciones del Congreso de los Estados Unidos, L. Ronald Hubbard desenmascaró la experimentación de control mental en los proyectos Bluebird, Chatter y Artichoke de la CIA

lo que aconteció como control mental). Se han documentado innumerables casos en que se daba a las víctimas (sin su conocimiento) dosis masivas de drogas psicotrópicas y se dejaba que se las arreglaran por sí mismas. A las víctimas también se les sometía a "interrogatorios especiales" bajo combinaciones casi letales de barbitúricos y estimulantes, y después se les bombardeaba con "rayos de amnesia" de muy alta frecuencia. También están los casos de víctimas torturadas y lobotomizadas (lo cual también se llevó a cabo para borrar la memoria), y de aquellos que fueron sometidos a un elaborado condicionamiento psicotrópico con el propósito de moldear el asesino perfecto. No obstante, y de forma significativa, recalquemos que hasta la publicación en 1951 del segundo texto de Dianética de L. Ronald Hubbard, *La Ciencia de la Supervivencia,* el tenebroso arte del control mental había estado "oculto, insospechado y desconocido".

A esto no se le puede dar un énfasis exagerado. A pesar de todas las historias subsecuentes sobre el esfuerzo de control mental de Estados Unidos, incluyendo *Operation Mind Control (Operación Control Mental)* de Walter Boward, *The Search for the "Manchurian Candidate," (La Búsqueda del "Candidato de Manchuria")* de John D. Marks, y *Acid Dreams (Sueños Ácidos)* (de Martin Lee y Bruce Shlain), nada precedió a lo que se encontró en *La Ciencia de la Supervivencia:*

"Existe otra forma de hipnotismo que está entre la operación quirúrgica y el hipnotismo directo sin dolor físico. Esta forma de hipnotismo ha sido un secreto que ciertas organizaciones militares y de inteligencia han guardado con mucho cuidado. Es un arma de guerra maligna y podría ser mucho más útil en la conquista de una sociedad que la bomba atómica. Esto no es una exageración. El uso de esta forma de hipnotismo en el trabajo de espionaje está tan extendido hoy en día que hace mucho que la gente debería haberse alarmado al respecto. Hizo falta el procesamiento de Dianética para poner al descubierto la técnica de 'dolor-drogas-hipnosis'".

Otras observaciones subsiguientes fueron igual de directas, y sobre todo debido a revelaciones respecto a la potencia de los psicotrópicos empleados con fines de control mental. "Ahora bien, no con la intención de asustarlos, sino de informarles –dice un boletín de L. Ronald Hubbard de 1955 dirigido a scientologists profesionales– la psiquiatría se ha armado con varias drogas nuevas. Una de estas, el LSD, tiene como única meta el volver dementes a las personas por un lapso de quince a veinticinco horas". El que pasara toda una década antes de que el LSD llegara a ser algo parecido a una droga digna de los titulares, por no mencionar que a finales de la década de 1960 llegó a ser una poción tenebrosa y mítica, también es significativo; pues de nuevo encontramos una advertencia de L. Ronald Hubbard que se anticipó bastante a las alarmas generales. Pero lo que importa aquí, lo cual ni siquiera Ronald pudo haber anticipado, fue la penetración de lo psicodélico en la corriente cultural principal.

"Existe otra forma de hipnotismo que está entre la operación quirúrgica y el hipnotismo directo sin dolor físico... El uso de esta forma de hipnotismo en el trabajo de espionaje está tan extendido hoy en día que hace mucho que la gente debería haberse alarmado al respecto".

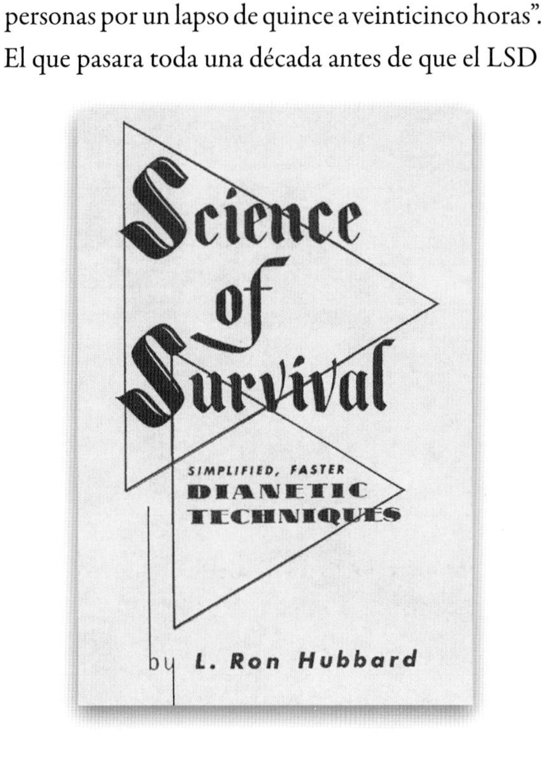

Si la historia ya se conoce, vale la pena repetir los detalles cruciales. Entre otros célebres paladines de la psicodelia que probaron el "ácido" por primera vez a través de los centros de experimentación patrocinados por la CIA, están el autor de *Doors of Perception (Las Puertas de la Percepción)*, Aldous Huxley; el letrista de Grateful Dead, Robert Hunter; el novelista de la contracultura Ken Kesey y el máximo defensor del LSD, Richard Alpert. También se ve la mano de la CIA en la psicodelización de Henry Luce, quien a su vez incitó a millones de personas con sus artículos alucinógenos en la revista Life, y así inspiró a Timothy Leary (ni más ni menos) a emprender su búsqueda (literalmente) del "hongo mágico". Finalmente, no olvidemos qué agencia estadounidense fue la primera en enrolar a Eli Lilly para sintetizar ácido lisérgico para su producción masiva, y (para no omitir lo importante) la que acuñó por primera vez la palabra "viaje" para describir la experiencia alucinógena.

Después de mediados de la década de 1960, la ironía es más profunda, con lo que resultó ser un puesto de escucha de la CIA en el "principado" de la psicodelia que se encuentra en el cruce de las calles Haight y Ashbury en San Francisco. Ahí, entre otras sustancias suministradas por el psiquiatra Louis "Jolly (Alegre)" West, el cual había sido contratado por la agencia, había dosis de una BZ supersicodélica que se le administraba a los desprevenidos hippies, quienes caían en una histeria profunda. (La BZ, dicho sea de paso, fue la misma sustancia que más tarde se usaría, con efectos igualmente devastadores, en soldados irregulares del Viet Cong por miembros del First Cavalry Airmobile: (Primera División de Caballería Aerotransportada). Mientras tanto, analistas de la CIA en la Rand Corporation de Santa Mónica contemplaban las repercusiones sociopolíticas de tener como adictos al LSD a cuatro millones de jóvenes estadounidenses, justo cuando más o menos el 15 por ciento de los soldados estadounidenses que regresaban de las zonas de combate vietnamitas eran adictos a heroína cultivada, procesada y enviada a Saigón por carteles respaldados por la CIA.

En retrospectiva, probablemente sea difícil apreciar lo rápidamente que se agrió la década de los 60 después de 1967. Aunque el saber popular de ese periodo tendió a culpar a una introducción de heroína, metanfetamina y LSD impuro –todo supuestamente procedente del crimen organizado–, difícilmente se puede sostener que la Mafia fuera la responsable de lo que caracterizó a 1968 con una amplia conmoción social y violencia absoluta. Para citar sólo dos cifras reveladoras: mientras la tasa de criminalidad grave comenzó un asenso a niveles sin precedentes que duró tres décadas, 125 ciudades estadounidenses estallaron con disturbios y hubo más de cuatro mil atentados con bombas motivados por problemas políticos.

Extremo izquierdo
El texto de la *Ciencia de la Supervivencia* de L. Ronald Hubbard, en 1951, contiene la primera revelación pública de los programas de control mental del gobierno de Estados Unidos

En 1968, después de siete años en el sur de Inglaterra, L. Ronald Hubbard se encontraba a bordo de su buque de investigación, *Apolo* (abajo), en el mar Mediterráneo. Fue aquí donde escribió que el drogadicto vive en una realidad compuesta

Además consideremos esto: aunque la experimentación psiquiátrica apoyada por los militares no logró aislar los medios para moldear el asesino perfecto, la aparición del alucinógeno en las calles de San Francisco tuvo una relación muy directa con la formación del asesino múltiple Charles Manson.

Se dice que cuando a Ronald, alrededor de 1968, se le informó del índice del consumo de alucinógenos en Estados Unidos, exclamó: "Dios mío, el tiempo se nos ha echado encima". De ahí llegó a admitir que estaba un poco alejado de la escena. Después de siete años en el sur de Inglaterra, en 1968 L. Ronald Hubbard se encontraba por el Mediterráneo a bordo de su afamado buque de investigación, *Apollo,* donde los puertos de escala más cosmopolitas de España y Portugal no sentirían el maremoto psicodélico sino hasta después de algunos años. Por otra parte, su tripulación, seleccionada del mundo de Scientology, era completamente libre de drogas; por lo tanto, no fue sino hasta que, debido al crecimiento continuo de la Iglesia de Scientology fue necesario conseguir nuevos reclutas, que él vislumbró a aquella Generación extraña e infame del 68.

Como observación inicial describió a los antiguos consumidores como propensos a tener visiones, a "quedarse en blanco" y a estar distraídos, todo lo cual se explica casualmente en el léxico psicodélico como estar "colocado", "colgado" y "tocado". Además observó una marcada flaqueza tanto en la compresión de la comunicación escrita como la verbal, y una terrible deficiencia en las destrezas de comunicación. Después también describió al consumidor diciendo que vivía en una "realidad compuesta" en la que no distinguía entre el pasado y el presente, y exhibía un comportamiento verdaderamente paralelo a la demencia. Finalmente, y he aquí la preocupación principal

de L. Ronald Hubbard: antiguos consumidores demostraban ser absolutamente incapaces de mejorar espiritualmente mediante Scientology.

El problema demostraría ser insidioso, considerable y complejo. Pero por el momento centrémonos en lo que Ronald describió como la barrera bioquímica al avance mental y espiritual, y sobre todo en cuanto al LSD. Una vez más es apropiado un comentario respecto a la ironía implícita. Después de todo, aquí estaba el camino original que la psiquiatría había dispuesto para el logro de estados de consciencia alterados y expandidos: la llave para aquellas míticas puertas de la percepción a sólo cinco dólares el viaje. El inconveniente, no obstante, eran verdaderas cicatrices en el alma que demostraron ser casi permanentes.

A modo de explicación, aparte de la acción más inmediata del LSD —la cual implica ni más ni menos la constricción de los vasos sanguíneos camino de la corteza cerebral— estaba la curiosa tendencia ocasional de la droga a reactivarse. Su nombre coloquial es *"flashback"*, y podría incluir experiencias alucinatorias completas años después de haber tomado la droga. En los documentos de Ronald de aquella época también se menciona la peculiar sensación de no estar en contacto con la realidad común en los consumidores de LSD. Ronald también describió muy acertadamente que sus "ojos parecen discos en blanco". De ahí siguió la cuestión verdaderamente pertinente respecto al efecto de la droga en el sistema nervioso central, mientras a la vez examinó lo que el "ácido" había engendrado en cuanto al consumo de drogas farmacéuticas en la década de los 70. Finalmente lo encontramos siguiéndole la pista a las consecuencias sociológicas más amplias de tal consumo, el cual era impulsado por miles de millones de dólares en marketing farmacéutico; hasta que al fin nos topamos con una escalofriante descripción de los consumidores de psicotrópicos como "deshumanizados y feroces o irracionalmente crueles en potencia". ■

El artículo "Los Problemas de las Drogas" de L. Ronald Hubbard equivale a una declaración de la política de Scientology en cuanto a la erradicación de la drogadicción. Data de septiembre de 1969, fecha en la cual los primeros materiales de su tecnología de rehabilitación se estaban poniendo a prueba en centros de rehabilitación a lo largo de Estados Unidos y Europa. El hecho de que tantos de los jóvenes que ingresaron a Scientology en ese entonces habían consumido drogas era, desde luego, un indicador de la época. (El Verano del Amor apenas se estaba enfriando y la "Neblina Morada" todavía podía verse en los planteles educativos). Por otro lado, y de acuerdo a una encuesta real, los scientologists no consumen drogas.

LOS PROBLEMAS DE LAS DROGAS

de L. Ronald Hubbard

Por lo menos en dos países Scientology está cooperando muy estrechamente con el gobierno en programas cuyo propósito es la resolución del problema de la drogadicción, el cual ahora se está convirtiendo en un problema crónico en la sociedad.

Se ha descubierto que los drogadictos comienzan a tomar drogas debido al sufrimiento físico o a la desesperanza.

En un país, durante aproximadamente un año, se ha estado llevando a cabo un proyecto piloto de Scientology, y ha proporcionado datos de gran valor. Incluso sin procesamiento, sino sólo mediante la educación, alrededor del 50 por ciento de los adictos internados se han recuperado y no se les ha vuelto a internar.

Al erradicar en el adicto la causa del sufrimiento o desesperanza originales, este prescinde voluntariamente de la necesidad de tomar drogas.

Estos proyectos piloto de Scientology se emprendieron para desarrollar programas con vista a aplicaciones más amplias. En la actualidad, la cantidad de casos que fueron tomados al azar llega sólo a algunos centenares.

Hasta la fecha se ha descubierto que el coste por caso, excluyendo la comida y el alojamiento, es de unas 35 libras esterlinas por persona cuando se lleva a cabo a nivel masivo y se usan especialistas individuales. La duración es de siete a diez semanas, de las que las seis primeras se utilizan en "el proceso de desintoxicación" bajo atención médica. El procesamiento real lleva menos de cincuenta horas para una rehabilitación total y permanente. Si sólo se resuelve el factor de las drogas, el tiempo es menos de diez horas.

Se acaba de iniciar un proyecto de prueba en una prisión estatal donde a los adictos se les entrenará para que se manejen sus casos unos a otros. Si este proyecto tiene éxito, podría reducir mucho los costos y facilitar el manejo de grandes cantidades de casos.

Se ha descubierto que el adicto no quiere ser adicto, pero que lo incitan el dolor y su desesperanza respecto al entorno.

Tan pronto como un adicto puede sentirse más saludable y más capaz mental y físicamente, sin drogas, de lo que se siente bajo su efecto, deja de necesitarlas.

La psiquiatría se ha encogido de hombros ante la drogadicción al considerarla "trivial", y no presta atención al problema social del consumo de drogas; más bien lo contrario, ya que ellos mismos introdujeron y popularizaron el LSD. Y muchos psiquiatras venden droga.

"Se ha descubierto que el adicto no quiere ser adicto, pero que lo incitan el dolor y su desesperanza respecto al entorno".

Los organismos gubernamentales han fracasado notoriamente en detener el incremento en el consumo de drogas, y no ha habido un remedio real ni muy extendido.

Las implicaciones políticas del incremento en la adicción en un país son enormes. Toda nación sometida a fuertes ataques por servicios de inteligencia extranjeros ha experimentado un incremento en el tráfico de drogas y en la adicción.

Antes de la Segunda Guerra Mundial, las fuerzas japonesas de inteligencia realizaban conquistas convirtiendo, con esmero, en adicto a cada líder potencial que pudieran alcanzar, en particular a los niños brillantes del país que era su blanco.

La última dinastía (la Manchú) de China, fue derrocada por un país que importaba opio al reino y que promovía su consumo.

Existen muchos precedentes históricos.

El riesgo que representa la persona que toma drogas, aun después de dejarlas, es que su mente se "queda en blanco" en momentos inesperados, tiene periodos de irresponsabilidad y tiende a enfermarse con facilidad.

El procesamiento de Dianética y Scientology ha sido capaz de erradicar los daños más graves en aquellos casos que se han sometido a prueba, y también ha logrado que la adicción ya no fuera necesaria ni deseada.

Scientology no tiene ningún interés en los aspectos políticos o sociales de los diversos tipos de drogas, y ni siquiera en el consumo de drogas como tal. Todo el interés de Scientology se concentra en aquellos que quieren "desengancharse" y "seguir desenganchados".

En una organización de Scientology en particular, al menos la mitad de los que llegaban en busca de procesamiento habían estado previamente enganchados a las drogas. Y esta proporción es mucho menor que la del resto de la gente que la organización tiene alrededor, cuyo índice de uso evidentemente asciende a un porcentaje aún mayor. Por consiguiente, en 1968 y 1969 la investigación sobre esto como tema especializado culminó con éxito.

Los scientologists no pretenden castigar a los que consumen drogas ni reformar a toda una sociedad con respecto a este tema. Pero sí están preparados y están activos en ayudar a cualquier persona o a cualquier gobierno a resolver este problema.

Como la década de los años 20 y de la ley seca, es probable que el consumo de drogas también deje de ser pasatiempo nacional. Pero dejará a muchas personas deseando no haberlas consumido. El scientologist puede ayudar a esas personas. Y les está ayudando ahora mismo como servicio habitual a la comunidad.

Los gobiernos necesitan al scientologist mucho más de lo que creen. Ronald

"Como la década de los años 20 y de la ley seca, es probable que el consumo de drogas también deje de ser pasatiempo nacional. Pero dejará a muchas personas deseando no haberlas consumido. El scientologist puede ayudar a esas personas. Y les está ayudando ahora mismo como servicio habitual a la comunidad".

Fundamental en los métodos de rehabilitación de L. Ronald Hubbard, es un concepto profundamente religioso del hombre como intrínsecamente espiritual, omnipotente en potencia y fundamentalmente capaz de resolver todo lo que le aflige. O como el mismo L. Ronald Hubbard expresara de manera tan concisa: "El único agente verdaderamente terapéutico en este universo es el espíritu". Detrás de esa declaración se encuentran las verdades axiomáticas de Dianética y Scientology, que incluyen el reconocimiento de que la salud física y emocional depende solamente del bienestar espiritual.

Por el contrario, si el hombre es meramente el conjunto de sus componentes físicos y su estabilidad emocional es determinada puramente por la química de su cerebro, entonces el consumo de drogas es inevitable.

Tal argumento es de suma importancia, pues revela mucho respecto a toda la charla de ventas de las empresas farmacéuticas con respecto a sus escandalosamente rentables drogas psicoterapéuticas. También revela bastante respecto a la terapia sustitutiva en que una droga adictiva se sustituye por otra que con frecuencia es más adictiva. Revela aún más en cuanto a esos miles de millones de dólares que las empresas psicofarmacológicas gastan anualmente en publicidad para convencernos de que somos seres imperfectos por naturaleza, y que por lo tanto debemos tratar de alterar esa naturaleza mediante un ajuste químico. El inconveniente, desde luego, es una crisis internacional de drogadicción que es absolutamente única en la historia de la humanidad, pero que probablemente rivaliza con la Peste Negra en cuanto a sus estragos culturales.

Tal es la perspectiva desde la cual L. Ronald Hubbard abordó "La Drogadicción". Data de octubre de 1969, justo después de la investigación que llevó a cabo para determinar las bases mentales y espirituales de la adicción.

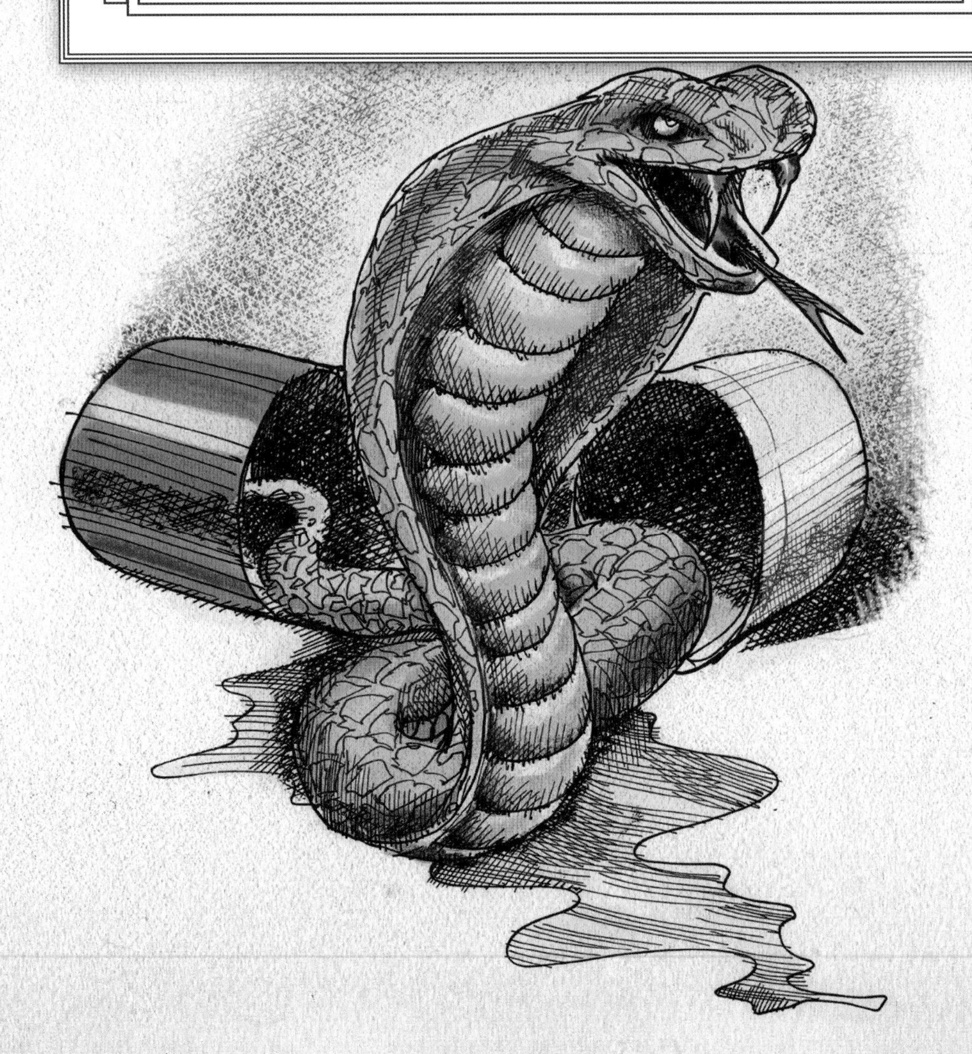

LA DROGADICCIÓN

de L. Ronald Hubbard

En ausencia de una psicoterapia funcional, la drogadicción generalizada es inevitable.

Cuando una persona está deprimida o con dolor y cuando no encuentra alivio físico mediante ningún tratamiento, al final descubrirá por sí misma que las drogas eliminan sus síntomas.

En casi todos los casos de dolor, malestar o incomodidad psicosomáticos, la persona ha intentado encontrar una cura para el trastorno.

Cuando al final descubre que sólo las drogas le proporcionan alivio, se rinde ante ellas y se vuelve dependiente, hasta llegar con frecuencia a la adicción.

Años antes, si hubiera existido otra solución, la mayoría de las personas la habrían adoptado. Pero cuando se les dice que no hay otra cura, que sus dolores son "imaginarios", la vida tiende a volverse insoportable. Entonces pueden convertirse en consumidores continuos de drogas y están expuestos a la adicción.

Claro que el tiempo que se requiere para hacerse adicto varía. El problema en sí puede ser sólo "tristeza" o "fatiga". En cualquier caso, la habilidad para afrontar la vida se reduce.

Entonces, cualquier sustancia que produzca alivio o haga la vida menos pesada, en el aspecto físico o mental, será bienvenida.

En un entorno poco estable e inseguro, las enfermedades psicosomáticas serán muy comunes.

Así que antes de que algún gobierno insista demasiado en extender el uso de las drogas, debe reconocer que esto es un síntoma de los fracasos de la psicoterapia. El científico social, el psicólogo y el psiquiatra, así como los ministerios de salud, han fracasado en el manejo de la enfermedad psicosomática generalizada.

Es demasiado fácil culpar de todo a "la agitación social" o "al ritmo de la sociedad moderna".

La cruda y pura verdad es que no ha existido una psicoterapia efectiva que se practicara de manera general. El resultado es una población drogadicta.

Dianética se diseñó para abordar la salud mental de forma extensa y a bajo costo. Es la única tecnología mental completamente ratificada por pruebas reales. Es rápida. Es eficaz.

Los servicios de salud deberían ayudar a que se logre un uso más amplio y generalizado de Dianética.

Puede resolver el problema. Ronald

"La cruda y pura verdad es que no ha existido una psicoterapia efectiva que se practicara de manera general. El resultado es una población drogadicta".

CAPÍTULO DOS

Programa de PURIFICACIÓN

BASED ON THE WORKS OF
L. RON HUBBARD

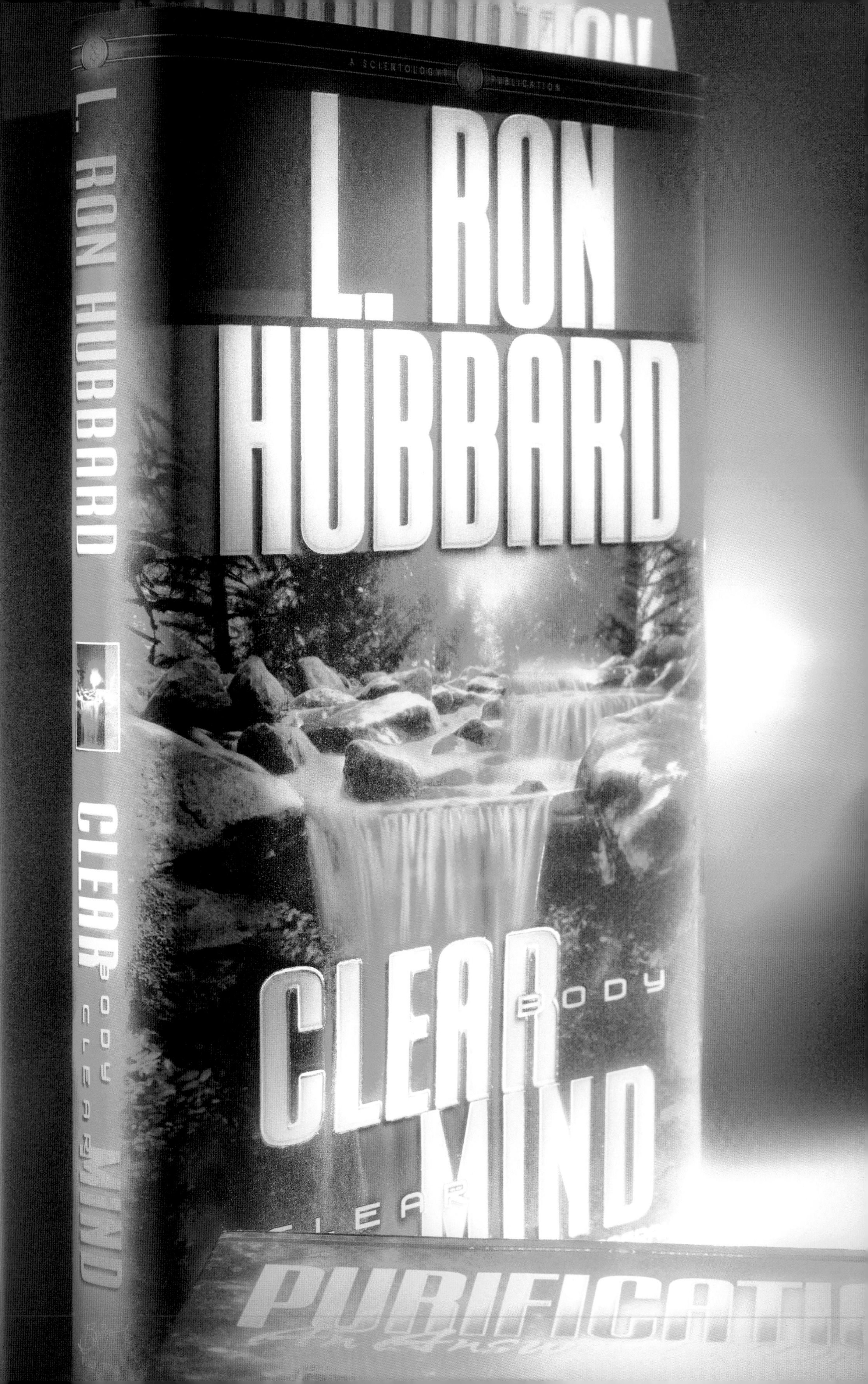
A SCIENTOLOGY PUBLICATION
L. RON HUBBARD
CLEAR BODY
CLEAR MIND

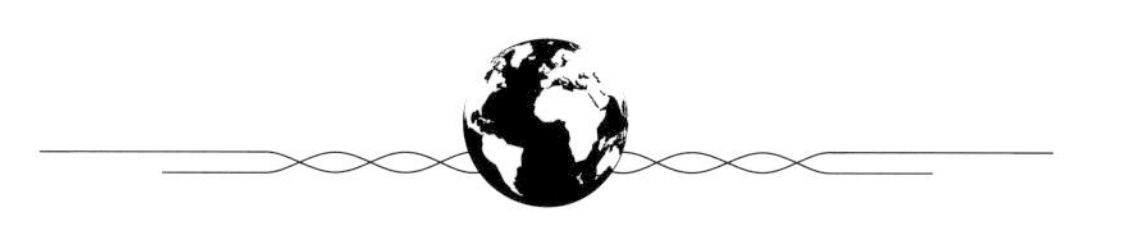

Programa de Purificación

"LA SOCIEDAD SE HA CONVERTIDO, SEGÚN TODAS LAS EVIDENCIAS disponibles, en un problema bioquímico". —L. Ronald Hubbard

Dada la tendencia del LSD a reactivarse mucho tiempo después de su ingestión, y dado también que hasta dosis muy pequeñas pueden causar tal reactivación, L. Ronald Hubbard finalmente dedujo que los residuos de LSD permanecían en el organismo. La afirmación es mucho más trascendental de lo que uno inicialmente podría imaginar, en particular si se toma en cuenta un descubrimiento correlativo según el cual todas las sustancias tóxicas (conservadores, pesticidas y toda la gama de drogas callejeras y medicinales) se alojan por igual en los tejidos adiposos y causan estragos.

Tal fue la senda que se siguió en la investigación que culminó finalmente en el desarrollo del Programa de Purificación. En los términos más simples, el programa se puede describir como una desintoxicación profunda a largo plazo. Aunque originalmente se ideó para eliminar las barreras bioquímicas a los servicios de Scientology, las comunidades médicas y científicas pronto se enteraron de él. Después de todo, este era el primer medio práctico para expulsar no sólo los residuos de las drogas, sino también las toxinas del medio ambiente; y los resultados eran tanto científicamente medibles como espectaculares en extremo. Como afirmación primordial, Ronald nos dice que aunque puede que los residuos trastornen seriamente el equilibrio de los fluidos y más, el Programa de Purificación se centra principalmente en los residuos propiamente dichos y los fenómenos mentales relacionados con ellos.

De qué manera exacta interactúan los depósitos de drogas y toxinas con el proceso del pensamiento humano, y cómo el Programa de Purificación elimina esos depósitos, es el tema de la descripción original que Ronald hizo del programa, según se reimprime aquí. A modo de información incidental y circunstancial, no obstante, lo siguiente podría ser de interés:

"Durante los últimos años, las empresas privadas de investigación que trabajan en cooperación con científicos del gobierno para estudiar el método de desintoxicación de Hubbard han llegado a la conclusión de que los esfuerzos pioneros de quien lo desarrolló, el autor e investigador

L. Ronald Hubbard, son de hecho válidos. Aunque esta técnica ha sido ampliamente aclamada, sólo ha sido en los últimos años que científicos ambientales han documentado su eficacia como medio para enfrentar los incontables problemas relacionados con la exposición a sustancias químicas, a los que ahora se enfrenta la sociedad moderna". —Robert B. Amidon, *Journal of California Law Enforcement (Revista de Policías de California)*

A modo de ejemplo se presentan los resultados de un estudio ahora famoso realizado con residentes de Michigan que fueron expuestos a bifenilos polibromados (PBBs) después de una contaminación a nivel estatal de alimento para ganado con sustancias retardadoras del fuego. En vista de que los residuos acumulados de PBBs (y de sustancias relacionadas, como los bifenilos policlorados de los refrigerantes industriales) se reducen de forma natural en un 50 por ciento en un periodo de diez a veinte años, los índices de reducción que se lograron con el Programa de Purificación fueron completamente sorprendentes. Como promedio, los residentes de Michigan que participaron en el programa experimentaron una reducción inmediata de un 20 por ciento en los residuos de sustancias químicas, mientras que análisis realizados cuatro meses después revelaron una reducción del 40 por ciento. El que la reducción de las sustancias tóxicas continuara mucho después de la terminación del programa también se consideró importante, aunque no fuera exclusivo del estudio de Michigan. De hecho, un estudio realizado en Florida en un paciente expuesto a dioxina, un subproducto tóxico de la fabricación de herbicidas, reveló una reducción inmediata del 29 por ciento después de terminar el Programa de Purificación, y una reducción hasta del 97 por ciento aproximadamente ocho meses después.

El que tales reducciones resulten en mayor salud y bienestar queda claro. Por ejemplo, los soldados estadounidenses que fueron expuestos al herbicida defoliante Agent Orange (Agente Naranja) se quejaban rutinariamente de fatiga, insomnio, dolores de cabeza, de abdomen y problemas cutáneos persistentes; todo lo cual se resolvió con el Programa de Purificación. De manera similar se resolvió gran parte de lo que caracterizó al "Síndrome de Vietnam" en cuanto a depresión y estallidos de furia cíclicos. Los resultados fueron igualmente espectaculares en la solución del "Síndrome de la Guerra del Golfo Pérsico", en especial, en aquellos expuestos a sustancias anti-gas nervioso de la guerra biológica.

Los resultados del programa en la Zona Cero de Nueva York fueron igual de efectivos. Se proporcionó el programa a la policía y a los bomberos, médicos y rescatistas después de ser expuestos a niveles sin precedente de polvos, gases y vapores tóxicos tras el derrumbe de las Torres Gemelas. En resumen, fue milagrosa la cura del insomnio, de la fatiga y de una enfermedad respiratoria conocida como la "Tos de la Torres Gemelas". De hecho,

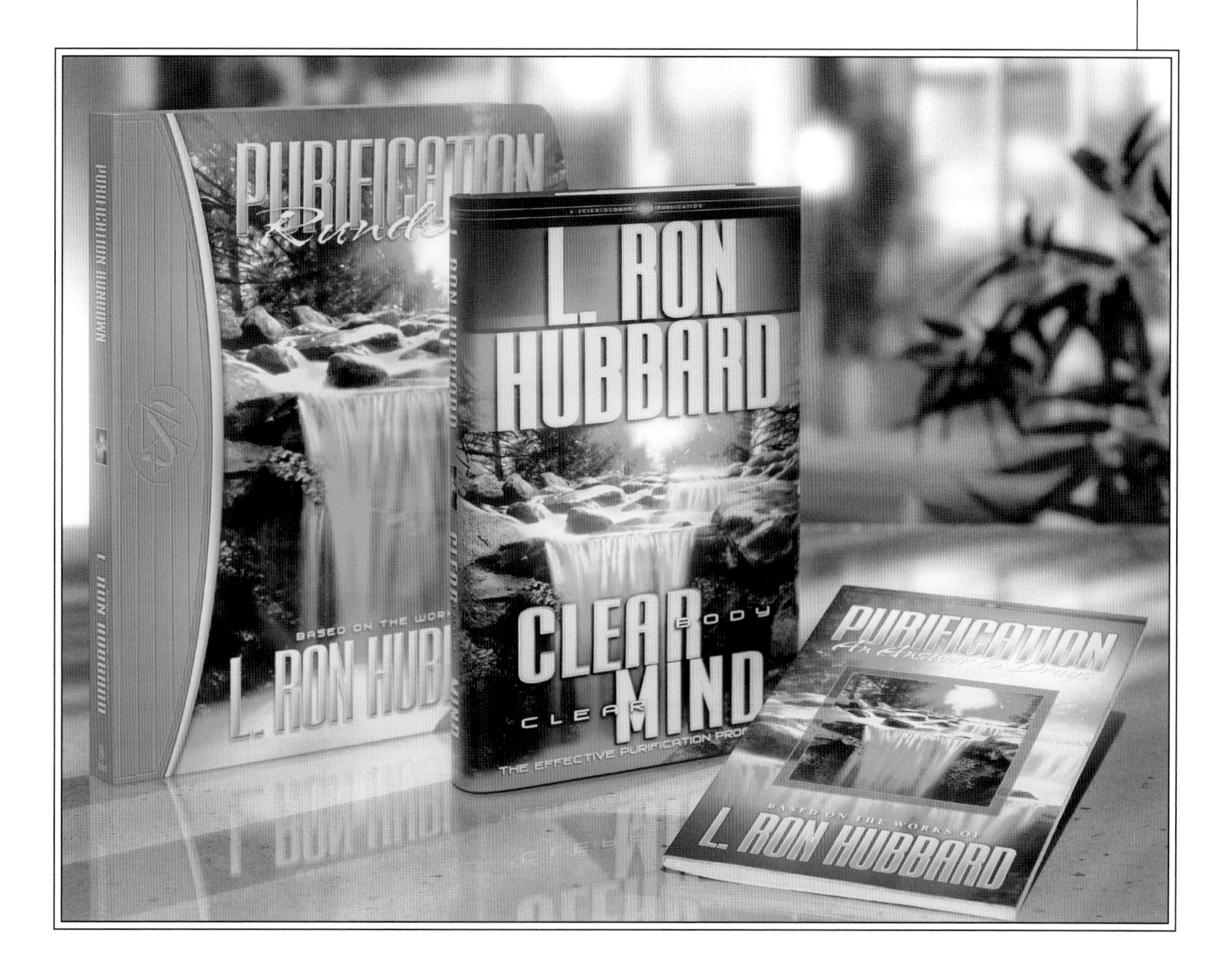

Arriba
Las investigaciones y descubrimientos de L. Ronald Hubbard en relación con las drogas y las toxinas, sus efectos en el individuo y el Programa de Purificación se describen en estos tres libros

muchos miembros de los equipos de rescate hablaban de un rejuvenecimiento superior a lo que gozaban antes del 11 de septiembre. Es decir (y esto según el asesor medico en jefe): "Ellos incluso se sentían mejor que antes de los ataques". De ahí que el gobierno finalmente financiara el Proyecto de Desintoxicación para los Trabajadores de Rescate de Nueva York, y el informe final del Asesor Médico en Jefe afirma: *"Estamos devolviendo a sus familias los padres y las madres que el polvo del 11 de septiembre parecía haberse tragado"*.

Para aquellos que son expuestos a niveles "aceptables" de toxinas ambientales; en otras palabras, a niveles de contaminación que se encuentran en cualquier zona urbana, la recomendación es igual de contundente. Entre las ganancias medibles se encuentran: más vitalidad, mejoría de la memoria y de los poderes de concentración, y un alivio de los dolores abdominales/intestinales causados aparentemente por aditivos en los alimentos. No menos significativos son los informes sobre mejoras en la actitud mental y en la estabilidad anímica, que sugieren que incluso niveles relativamente bajos de residuos tóxicos, debido a contaminantes atmosféricos, pueden afectar el comportamiento e impedir que la persona piense con claridad.

Pero para apreciar precisamente cuán agudamente tales residuos pueden alterar el comportamiento y el pensamiento, volvamos al tema de las drogas. Según se hace notar, es considerable el impacto de las drogas y los residuos de drogas en el comportamiento y la percepción. Entre la gran cantidad de literatura sociológica que regularmente se ofrece como explicación de la drogadicción posterior a los años 60, se encuentra un estudio poco conocido, llevado a cabo en 1972 sobre los adictos a la heroína de

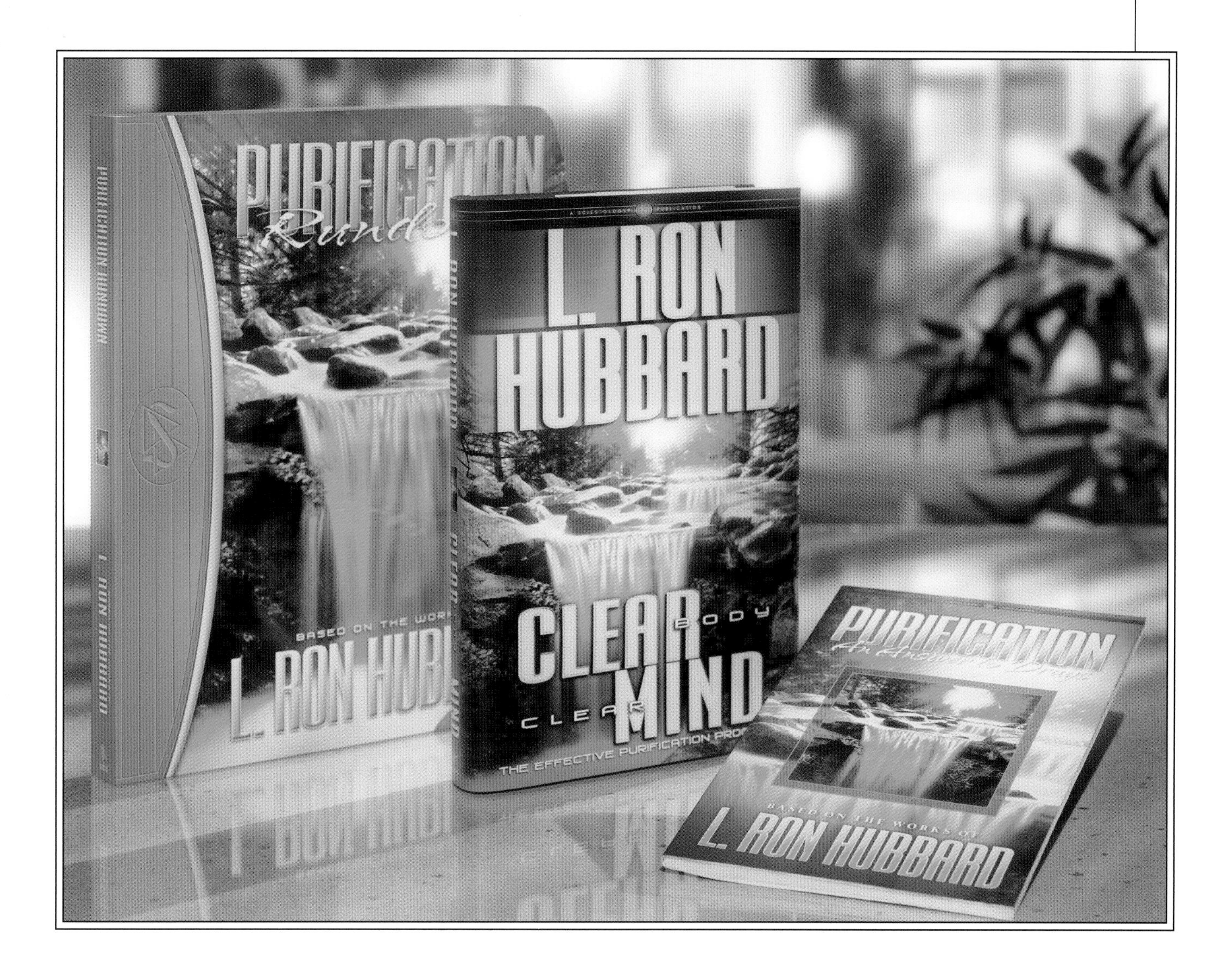

Arriba
Las investigaciones y descubrimientos de L. Ronald Hubbard en relación con las drogas y las toxinas, sus efectos en el individuo y el Programa de Purificación se describen en estos tres libros

muchos miembros de los equipos de rescate hablaban de un rejuvenecimiento superior a lo que gozaban antes del 11 de septiembre. Es decir (y esto según el asesor medico en jefe): "Ellos incluso se sentían mejor que antes de los ataques". De ahí que el gobierno finalmente financiara el Proyecto de Desintoxicación para los Trabajadores de Rescate de Nueva York, y el informe final del Asesor Médico en Jefe afirma: *"Estamos devolviendo a sus familias los padres y las madres que el polvo del 11 de septiembre parecía haberse tragado".*

Para aquellos que son expuestos a niveles "aceptables" de toxinas ambientales; en otras palabras, a niveles de contaminación que se encuentran en cualquier zona urbana, la recomendación es igual de contundente. Entre las ganancias medibles se encuentran: más vitalidad, mejoría de la memoria y de los poderes de concentración, y un alivio de los dolores abdominales/intestinales causados aparentemente por aditivos en los alimentos. No menos significativos son los informes sobre mejoras en la actitud mental y en la estabilidad anímica, que sugieren que incluso niveles relativamente bajos de residuos tóxicos, debido a contaminantes atmosféricos, pueden afectar el comportamiento e impedir que la persona piense con claridad.

Pero para apreciar precisamente cuán agudamente tales residuos pueden alterar el comportamiento y el pensamiento, volvamos al tema de las drogas. Según se hace notar, es considerable el impacto de las drogas y los residuos de drogas en el comportamiento y la percepción. Entre la gran cantidad de literatura sociológica que regularmente se ofrece como explicación de la drogadicción posterior a los años 60, se encuentra un estudio poco conocido, llevado a cabo en 1972 sobre los adictos a la heroína de

Nueva York, que habían sido "transformados" por la revolución psicodélica. La premisa central, y además radical, era esta: "Un tipo nuevo y diferente de consumidor de heroína vive en las calles de las ciudades estadounidenses". Descendiente de los consumidores de drogas múltiples de 1967 y 1968, este drogadicto de finales del siglo XX fue descrito como completamente sin preferencias; es decir, tomaba lo que podía conseguir, tanto del comercio ilícito de la heroína como (y de forma significativa) de la venta callejera de fármacos que se recetaban con regularidad. Como consecuencia, y esto en contraste con descripciones anteriores de adictos relativamente pacíficos, estos adictos eran notablemente violentos.

"La sociedad se ha convertido, según todas las evidencias disponibles, en un problema bioquímico".

La investigación subsiguiente lo confirmó. Un importante estudio sobre el consumidor de heroína en el condado de Dade, en Florida encontró que una selección de 573 adictos había cometido 215,105 delitos en el curso de un solo año. Es cierto que aproximadamente la mitad fueron crímenes en que "no hubo víctimas"; ante todo prostitución y tráfico de drogas. Sin embargo, también se mencionan seis mil robos y agresiones, algunos de naturaleza extrema e irrazonable. Un segundo estudio reveló lo mismo, o algo peor: en un periodo de doce meses, 356 consumidores cometieron 120,000 crímenes graves, incluyendo homicidios, robos, violaciones y agresiones con agravantes. Más aún, el 78 por ciento de las personas convictas por crímenes violentos eran consumidores regulares, y un número significativo de esos crímenes ni siquiera se realizaron para apoyar sus hábitos. Más bien a las víctimas se les asesinó, violó y golpeó al azar y sin ninguna razón lógica.

Las conclusiones, incluso de un campo sociológico que se muestra cauteloso ante las deducciones generalizadas, son bastante escalofriantes. ¿Podría ser, como, propuso la Narcotic and Drug Research, Inc. (Corporación para la Investigación de Narcóticos y Drogas) de Nueva York, que ahora nos estemos enfrentando a un "modelo sistémico" de crimen relacionado con las drogas, en el que la violencia es de hecho intrínseca al consumo? Como respuesta parcial se presentó el igualmente escalofriante patrón de comportamiento violento de los consumidores de drogas psicotrópicas lícitas. Como se ha comentado, un estudio canadiense de 1975 encontró que los reclusos de centros correccionales eran mucho más propensos a cometer actos violentos cuando se les medicaba con drogas psicotrópicas; mientras que los incidentes relacionados con drogas sedantes-hipnóticas eran tan violentos que los investigadores señalaron un efecto tipo "Dr. Jekyll y Mr. Hyde". También, entre los otros efectos secundarios que con frecuencia se mencionan respecto a los antidepresivos están el factor de irritabilidad y el cociente de ansiedad; palabras que resultan absurdamente eufemísticas cuando se consideran personas como Ilo Grundberg, que asesinó brutalmente a su madre de ochenta y tres años en lo que sólo se puede describir como una furia psicotrópica. (De hecho, ella fue absuelta después de que los fiscales no lograran establecer algún motivo concebible para un asesinato que ella ni siquiera recordaba haber cometido). Mientras tanto, las reacciones adversas que se mencionan en el expediente de Prozac sugieren la necesidad de definiciones aún más horribles para la ansiedad que las que se advierten en sus etiquetas. Como ejemplo está el infame caso de Joseph Wesbecker, que entró a su antiguo lugar de trabajo con niveles terapéuticos de la droga en la sangre, y abatió a tiros a veinte víctimas con una metralleta.

Además, se podrían mencionar muchos otros ejemplos: el tiroteo en la escuela Columbine en Colorado fue ideado por un estudiante llevado a la furia por fármacos psicotrópicos, al igual que las matanzas cometidas por adolescentes en Oregon, Mississippi y Georgia. Pero lo principal es simplemente esto: hace poco más de un siglo, como los sociólogos tienden a recordarnos, Jack el Destripador sobresaltó al mundo civilizado con el asesinato de siete prostitutas en Inglaterra. A medida que nos adentramos en este nuevo milenio, parece que encontramos un Jack el Destripador cada dos o tres años; y la mayoría de las veces está drogado con una o más drogas psicotrópicas.

Esta es la perspectiva más amplia desde la cual L. Ronald Hubbard declaró: "La sociedad se ha convertido, según todas las evidencias disponibles, en un problema bioquímico". Luego pasó a citar tanto un caos compuesto con partes interrelacionadas como una crisis moral general, y así presentó su solución. Es bastante fácil de aplicar, totalmente ideada para un uso amplio y, en lo que es una fría descripción de los hechos, L. Ronald Hubbard desea que sepamos que es nuestra única esperanza. ■

EL PROGRAMA DE PURIFICACIÓN

de L. Ronald Hubbard

VIVIMOS EN UNA SOCIEDAD que está orientada químicamente.

Sería difícil encontrar a alguien en la civilización actual a quien no le afecte este dato. Cada día, la gran mayoría del público está sujeto a ingerir conservadores de alimentos y otros venenos químicos, incluyendo los venenos atmosféricos y los pesticidas. Además, están los analgésicos, los tranquilizantes, las drogas psiquiátricas y otros fármacos que recetan los médicos. Asimismo, el uso generalizado de mariguana, LSD, cocaína y otras drogas callejeras contribuye en gran medida a este escenario.

Todos estos factores son parte del problema bioquímico.

BIOQUÍMICO se refiere a la interacción de los organismos vivos y las sustancias químicas.

BIO- significa vida, relacionado con los seres vivos; del griego *bios,* vida o forma de vida.

QUÍMICO significa "relativo a, o que tiene que ver con sustancias químicas". Y estas son sustancias simples o complejas, que son los componentes de la materia.

El cuerpo humano está hecho de ciertas sustancias y compuestos químicos exactos, y en su interior continuamente tienen lugar procesos químicos complejos. Algunas sustancias, como los nutrimentos, el aire y el agua, son vitales para que estos procesos continúen y para mantener la salud del cuerpo. Algunas sustancias son relativamente neutras cuando se introducen en el cuerpo, y no causan ni daño ni beneficio. Algunas de ellas pueden causar estragos, al bloquear o alterar funciones vitales básicas del cuerpo y enfermarlo o incluso matarlo.

Las SUSTANCIAS TÓXICAS que entran en esta categoría son aquellas que trastornan el equilibrio químico normal del cuerpo o interfieren en sus procesos químicos. "Sustancia tóxica" es una expresión que se usa para describir a las drogas, las sustancias químicas o cualquier sustancia que se demuestre que es venenosa o dañina para un ser vivo. La palabra *tóxico* viene de la palabra griega *toxikon,* que originalmente se refería a un veneno en el que se sumergían las flechas.

DESINTOXICACIÓN sería la acción de eliminar un veneno o un efecto venenoso de algo, por ejemplo de nuestro propio cuerpo.

Toxinas en Abundancia

Sobre el tema de las sustancias tóxicas se ha escrito una gran cantidad de material, informes sobre sus efectos y posibles métodos para resolverlos. Abundan los ejemplos en publicaciones y noticias.

El entorno actual se está saturando de estos elementos hostiles a la vida. Las drogas, residuos radiactivos, contaminantes y agentes químicos de todo tipo, no sólo están en todas partes, sino que se generalizan más y más a medida que pasa el tiempo. De hecho, son tan comunes que es casi imposible evitarlos.

Por ejemplo, algunas de las sustancias que se ponen en los vegetales enlatados podrían considerarse tóxicas. Son agentes conservadores, y su acción es impedir el deterioro. Sin embargo, la digestión y la acción celular se basan en el deterioro. En otras palabras, estas sustancias pueden ser una maravilla para el fabricante, ya que conservan su producto, *pero* podrían ser muy malas para el consumidor. No es que yo esté siguiendo una moda con respecto a la alimentación o esté en contra de los conservadores. El hecho es que el hombre está rodeado de toxinas.

Este ejemplo por sí mismo, los conservadores en los alimentos, muestra el grado en que encontramos sustancias tóxicas en el curso del vivir cotidiano.

Pero combinemos eso con el hecho de que los enemigos de diversos países están usando la drogadicción generalizada como un mecanismo para derrotarlos, y las naciones rivalizan entre sí en la fabricación y prueba de armas nucleares (y en esa forma aumentan la cantidad de material radioactivo que queda libre en el medio ambiente). Luego agreguemos lo fácil que es conseguir analgésicos y sedantes, el incremento en el uso de sustancias químicas en la industria y en la agricultura, y las sustancias tóxicas que se desarrollan para la

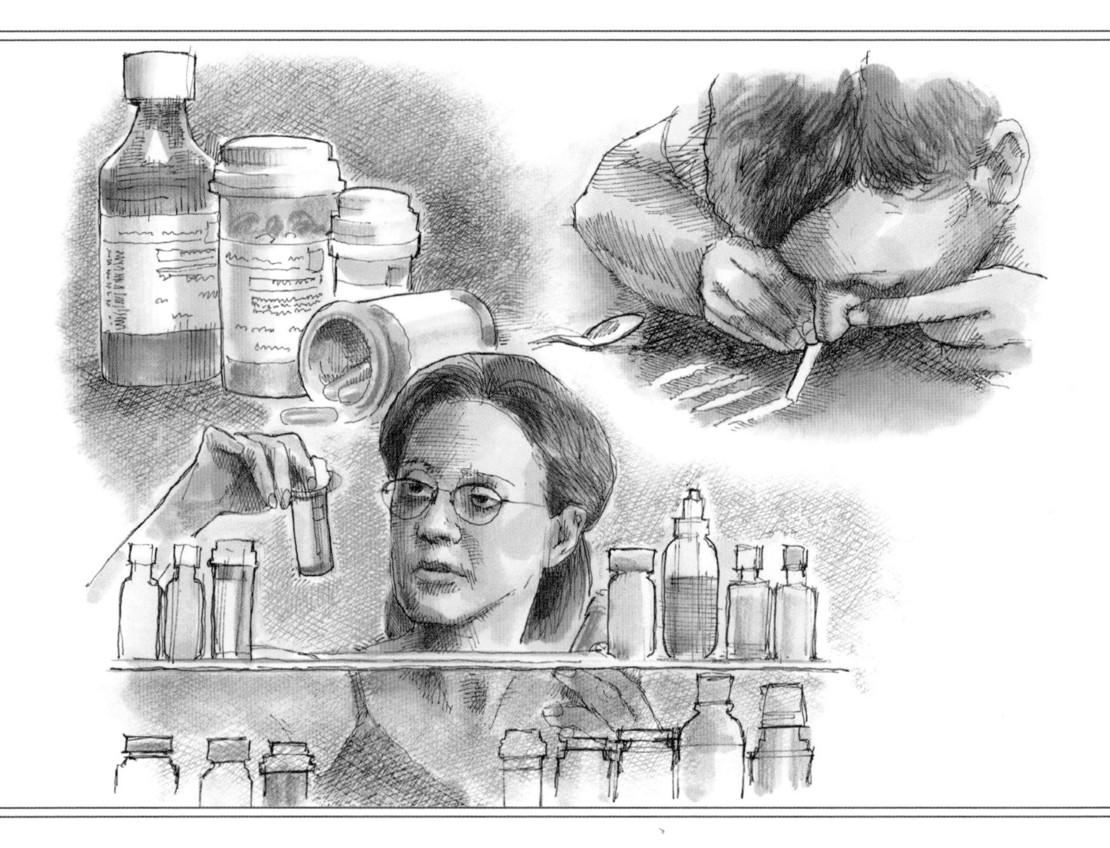

Las drogas son en esencia venenos. La cantidad que se toma determina el efecto.

guerra química. En resumen (y dicho con toda crudeza), en este momento, esta sociedad está plagada de sustancias tóxicas.

Señalar con brevedad ciertos datos relacionados con esas sustancias que plantean una amenaza para los individuos y la sociedad en general, hará más clara y visible la situación bioquímica. El Programa de Purificación está diseñado para responder a esta situación.

Drogas

Las drogas son en esencia venenos. La cantidad que se toma determina el efecto. Una cantidad pequeña actúa como estimulante (incrementa la actividad). Una cantidad mayor actúa como sedante (impide la actividad). Una cantidad aún mayor actúa como veneno y puede matar a la persona.

Esto es verdad en relación con cualquier droga, y para cada una existe una cantidad diferente con la cual se producen esos resultados. La cafeína es una droga, así que el café es un ejemplo. Cien tazas de café probablemente matarían a una persona. Diez tazas probablemente harían que se durmiera. Dos o tres tazas estimulan. Esta es una droga muy común. No es muy dañina, ya que se necesita una cantidad muy grande para causar un efecto. Así que se le conoce como estimulante.

Se sabe que el arsénico es veneno. Sin embargo una cantidad muy pequeña es estimulante; una buena dosis hace que la persona se quede dormida, y unos cuantos granos la matan.

Drogas Callejeras

El escenario de las drogas abarca a todo el planeta, que está nadando en sangre y miseria humana.

La investigación ha demostrado que el elemento más destructivo presente en nuestra cultura actual son las drogas.

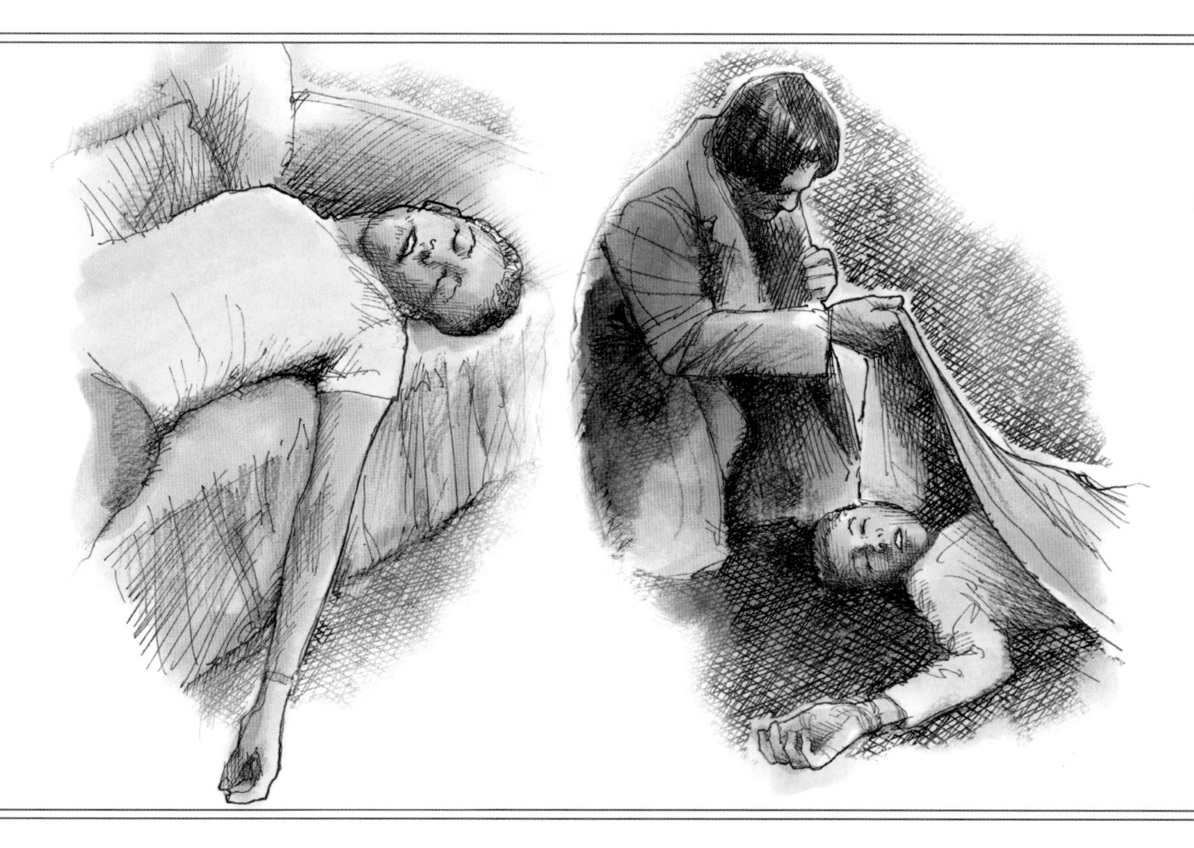

Una cantidad pequeña actúa como estimulante (incrementa la actividad). Una cantidad mayor actúa como sedante (impide la actividad). Una cantidad aún mayor actúa como veneno y puede matar a la persona.

La aceleración del consumo generalizado de drogas como el LSD, la heroína, la cocaína, la mariguana y muchas otras nuevas drogas callejeras que forman una larga lista, ha contribuido muchísimo a debilitar a la sociedad. Incluso a los niños de las escuelas se les ha empujado hacia las drogas. Y los niños nacidos de madres que toman drogas, nacen drogadictos.

Según informes, algunas de estas drogas pueden causar daños cerebrales y nerviosos. Por ejemplo, existen informes de que la mariguana, que tiene tanta aceptación entre los estudiantes universitarios, quienes se supone que deben llegar a ser inteligentes para poder ser los ejecutivos del mañana, puede causar atrofia cerebral.

Las investigaciones incluso han establecido que existe algo llamado "personalidad de drogas". Es artificial y las drogas la crean. Aparentemente, las drogas pueden cambiar la actitud de una persona, haciendo que su personalidad original llegue a ser una personalidad que secretamente abriga hostilidades y odios que ella no permite que afloren. Aunque esto puede no ser cierto en todos los casos, sí establece una conexión entre las drogas y el aumento de dificultades con el crimen, la falta de productividad y la desintegración moderna de la cultura social e industrial.

Los devastadores efectos fisiológicos de las drogas ocupan los titulares de los periódicos como algo normal. Es muy obvio que también provocan la reducción del estado de agudeza mental y del carácter ético.

Pero por perversas y nocivas que sean las drogas de la calle, en realidad son sólo una parte del problema bioquímico.

Drogas Médicas y Psiquiátricas

Las drogas médicas, y en particular la larga lista de drogas psiquiátricas (Ritalin, Valium, Thorazine y litio, por nombrar algunas), pueden ser tan dañinas como las drogas de la calle. La presencia generalizada de estas drogas de uso común en la actualidad, sería muy sorprendente para alguien que no estuviera familiarizado con el problema.

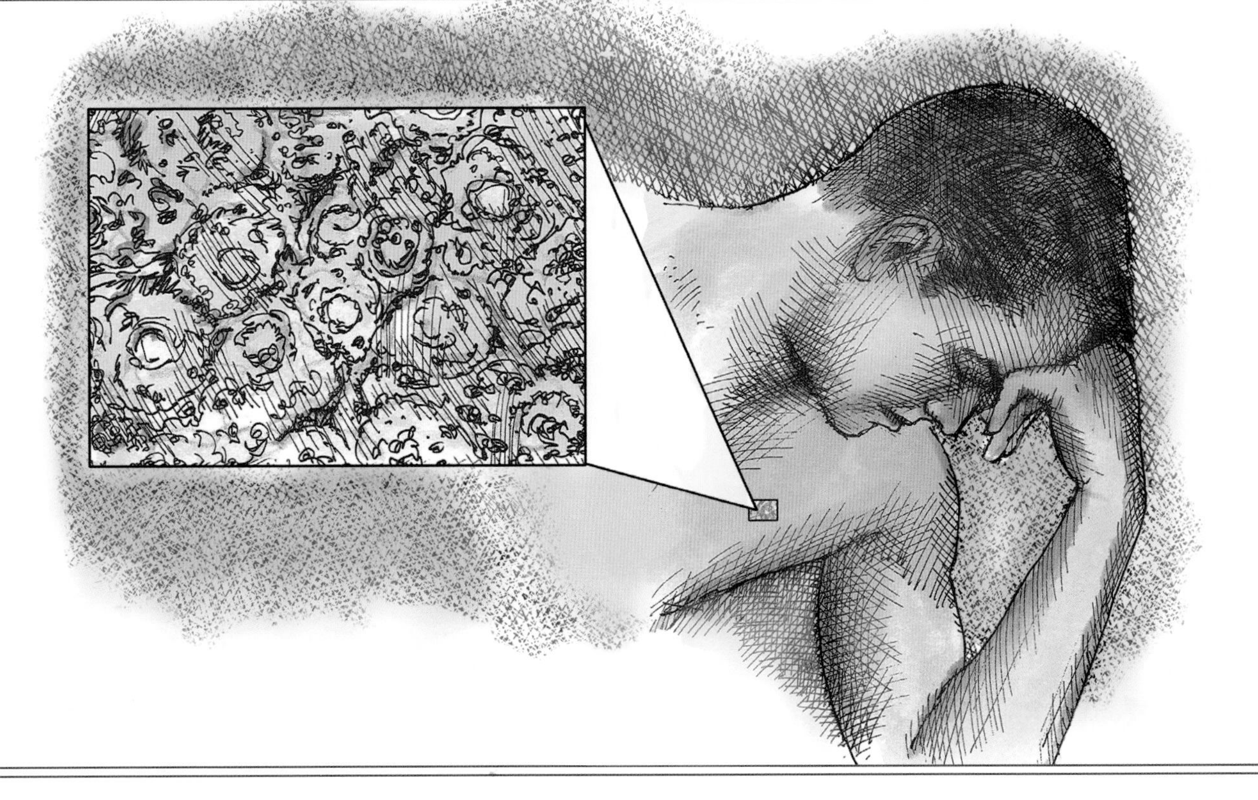

En el transcurso de sus investigaciones sobre los efectos de las drogas que inhiben el avance espiritual del individuo, L. Ronald Hubbard hizo un increíble descubrimiento: Los residuos del LSD se pueden quedar atrapados en el cuerpo, principalmente en los tejidos adiposos, y se quedan ahí por años.

Los sedantes a menudo se administran como si fueran una panacea para todo mal. Para 1951, muchas personas se habían acostumbrado tanto a su dosis diaria de píldoras para dormir o de analgésicos, que no consideraban que sus "pildoritas" fueran drogas.

Con demasiada frecuencia, la actitud es: "si no puedo encontrar la causa del dolor, al menos lo amortiguaré". En el caso de alguien que padece una enfermedad mental, esto podría convertirse en: "si no se le puede volver racional, por lo menos se le puede tranquilizar".

Por desgracia, no se reconoce que una persona cuyo dolor se apaciguó con un sedante, resulta ella misma apaciguada con la droga, y se encuentra mucho más cerca del dolor final de la muerte. Debería resultar obvio que las personas más tranquilas del mundo son los muertos.

Alcohol

El alcohol no es una droga que altera la mente, pero es una droga que altera los aspectos bioquímicos. El alcohol no le hace nada a la mente; le hace algo a los nervios. Como absorbe con rapidez toda la vitamina B_1 que hay en el cuerpo, hace que los nervios no puedan funcionar en forma adecuada.

Por lo tanto, la persona no puede coordinar su cuerpo. En pequeñas cantidades, el alcohol es estimulante y en grandes cantidades es depresivo.

La definición de *alcohólicos* es personas que no pueden tomar sólo un trago. Si toman un trago, tienen que tomar otro. Son adictos. Uno de los factores es que deben tener un vaso lleno frente a ellos. Si se vacía, hay que volverlo a llenar.

Los alcohólicos se encuentran en un estado de hostilidad total e inexorable hacia todo lo que les rodea. Arruinan a la gente sin previo aviso.

El alcohol es una droga. El grado de consumo de alcohol (la cantidad y la frecuencia) determina si se puede considerar que un individuo toma demasiado.

Estos depósitos pueden continuar afectando al individuo adversamente mucho después de que haya dejado de consumir la droga. En el caso del LSD, se encontró que los residuos de la droga eran los responsables por las repeticiones impredecibles de las escenas retrospectivas (flashbacks)que experimentaban los que habían sido adictos.

Procesos y Productos Comerciales

En los últimos años, se han realizado muchas investigaciones sobre los efectos tóxicos potenciales de muchas de las sustancias que, por lo común, se usan en varios procesos y productos comerciales, y sobre el grado en que pueden llegar al interior de los cuerpos de los habitantes de este planeta. A continuación se presentan algunos ejemplos de los resultados de esa investigación.

SUSTANCIAS QUÍMICAS INDUSTRIALES

En este apartado hay decenas de miles de sustancias químicas que se usan en la industria. No todos esos productos químicos son tóxicos, por supuesto. Pero los trabajadores de las fábricas que producen o usan productos como pesticidas, derivados del petróleo, plásticos, detergentes y productos químicos para la limpieza, solventes, chapado de metales, conservadores, drogas, productos de asbesto, fertilizantes, algunos cosméticos, perfumes, pinturas, tintes, aparatos eléctricos o cualquier material radiactivo, pueden estar expuestos a materiales tóxicos, a menudo durante largos periodos. Los consumidores, por supuesto, pueden exponerse a cantidades residuales de estas sustancias químicas al utilizar los productos.

SUSTANCIAS QUÍMICAS QUE SE USAN EN LA AGRICULTURA

Los pesticidas son las sustancias tóxicas más obvias a que se pueden exponer los que trabajan en actividades agrícolas. Incluyen a los insecticidas (sustancias químicas que matan insectos), herbicidas (sustancias químicas para matar plantas indeseadas, como las malas hierbas) y fertilizantes fabricados por el hombre.

Entre los herbicidas hay algunos que contienen una sustancia conocida como "dioxina", que se sabe es un producto químico altamente tóxico, incluso en cantidades casi demasiado pequeñas para detectarlas en el cuerpo.

El contacto con sustancias químicas que se usan en la agricultura puede ocurrir en diversas formas. La sustancia puede estar sobre la planta o en su interior, y por lo tanto, se come. El viento puede transportarla y

Se descubrió que los depósitos de mariguana, heroína, cocaína, pastillas para el dolor y otros medicamentos también pueden entrar en acción años más tarde, como si la persona acabara de tomar la droga.

quienes viven o trabajan en zonas agrícolas pueden respirarla. Incluso puede introducirse en los suministros de agua potable.

LOS ALIMENTOS, SUS ADITIVOS Y AGENTES CONSERVADORES

Hay sustancias que se añaden a algunos alimentos procesados para el comercio, que se supone "intensifican" su color, su sabor o, como se mencionó antes, impiden que el alimento se eche a perder. También hay varios edulcorantes artificiales que se están haciendo más comunes, que se usan en los refrescos para "dieta" y otros alimentos envasados a nivel comercial. A partir de las investigaciones relacionadas con estos "intensificadores", "endulzantes" y "conservadores", parece que muchos de ellos son bastante tóxicos. Todo el tema de los aditivos y conservadores de alimentos ha preocupado a muchas personas.

Existe otro aspecto en este asunto de los alimentos. Los descubrimientos de investigaciones señalan la posibilidad de que los aceites rancios sean un peligro para la salud, cuya magnitud nunca antes se sospechó. Los investigadores han establecido que cuando los aceites que se usan al cocinar alimentos o procesarlos para su comercialización no son frescos, puros y están rancios, podrían relacionarse con enfermedades digestivas y musculares, e incluso con el cáncer.

PERFUMES Y FRAGANCIAS

El uso de perfumes y fragancias en todo tipo de productos se ha generalizado más y más en los últimos años. A todo se le agregan fragancias, desde los detergentes para ropa hasta los pañuelos desechables y los anuncios en las revistas. Y esa fragancia es casi siempre un derivado químico barato, un extracto de alquitrán de hulla cuyo costo es probablemente unos 10 centavos de dólar por un bidón de 200 litros. Los hallazgos parecen confirmar que estas sustancias químicas que flotan en el supermercado más cercano como "fragancias", de hecho son tóxicas y pueden acabar dentro de los productos alimenticios que se venden allí. Es obvio que ingerir estas sustancias químicas no ayuda a la digestión.

No sólo las drogas quedan atrapadas en el cuerpo, sino cualquiera de las sustancias tóxicas que encontramos a raudales cada día. La acumulación de depósitos tóxicos en los tejidos del cuerpo pueden afectar de forma negativa la vida de una persona.

Radiación

Sin duda has leído en los periódicos que el contacto con la radiación puede ocurrir al exponerse a pruebas de armas atómicas, (o a las partículas radioactivas que estas pruebas liberan en la atmósfera), a residuos nucleares o a algunos procesos de fabricación que utilizan materiales radioactivos. Además, el uso creciente de la energía atómica para el suministro de electricidad (sin desarrollar a la vez una tecnología apropiada y medios para utilizarla con seguridad) presenta una amenaza que no es militar. El deterioro de la atmósfera superior del planeta a causa de los aviones a reacción y los contaminantes, permite que año tras año penetre más radiación solar hasta la superficie del planeta.

En otras palabras, uno se puede exponer a la radiación en muchas formas. Está por toda la atmósfera, y siempre lo ha estado. Simplemente hay más ahora.

Los que adoran al sol, los que se dan baños de sol, los que se especializan en asarse bajo el sol año tras año, se exponen a la radiación. ¿Qué es el sol sino una esfera de radiación? No es posible encontrar en ninguna parte un mejor ejemplo de radiación que nuestro propio Sol; es fisión pura. Por lo tanto, una quemada de sol *es* una quemada, pero no una quemada que se produce simplemente por exceso de calor: es una quemada por radiación. Es probable que cierta cantidad de luz solar sea esencial para la buena salud del cuerpo humano. Aquí estamos hablando de exponerse en exceso. Aunque uno no llegue a quemarse, al exponerse mucho al sol todos los días durante largos periodos, se somete a los efectos acumulativos de la radiación.

Los rayos X también nos exponen a la radiación. Son absolutamente tan mortales como la fisión atómica. Los rayos X no producen una gran explosión; no te impacta una explosión tremenda que podría acabar con una ciudad. Pero después de placa, tras placa, tras placa de rayos X, sí produce en el individuo niveles altos de radiación, de manera que podría enfermarse si recibe un poco más de rayos X o lluvia radiactiva.

Incluso después de dejar las drogas, uno retiene cuadros de imagen mental de las experiencias relacionadas con las drogas. Mientras las sustancias tóxicas queden atrapadas en el cuerpo, pueden reactivar esas imágenes, causando efectos negativos.

La aplicación, repetida y continua de rayos X a una persona puede producir todo lo que produce la fisión atómica al contaminar la atmósfera.

Cuando hay una atmósfera radioactiva, también se reduce el índice de la salud. Cuanto más se exponga una persona a la radiación, menos resistente será, y la radiación tendrá un mayor efecto en ella. En otras palabras, al paso del tiempo ocurre una acumulación en el cuerpo, debido a cualquiera de las fuentes de radiación descritas anteriormente. Como la radiación es acumulativa, es obvio entonces que esto complica el problema bioquímico y representa una gran barrera.

Una Respuesta al Mundo Bioquímico

Tomando en cuenta lo anterior, el Programa de Purificación es una respuesta que se brinda a este problema bioquímico. En una sociedad tan impregnada de materiales tóxicos como esta ha llegado a estarlo, resolver las acumulaciones de estos materiales es un punto de gran interés.

Las preguntas lógicas sobre cualquier procedimiento que pudiera resolver tales acumulaciones sería: "¿Funciona?". "¿Tiene *resultados*?".

Estas preguntas pueden responderse mediante la experiencia práctica y mediante la comprensión de los descubrimientos básicos que tuvieron como resultado un procedimiento que libera el individuo de los efectos dañinos de las sustancias tóxicas.

El Desarrollo del Programa de Purificación

Con la explosión del problema de las drogas en la década de 1960, cuando el uso de drogas callejeras ilícitas y sus devastadores efectos habían llegado a ser un factor dominante entre los males de la sociedad, desarrollé un conjunto de procedimientos conocidos como el Recorrido de Drogas. El Recorrido de Drogas aborda

Los residuos de drogas y sustancias químicas pueden hacer que una persona se sienta en blanco, estúpida, deprimida, confundida, sin razón aparente. Pueden alterar su personalidad empeorándola y cambiar su actitud hacia la vida.

directamente el efecto mental de las drogas que pueden reestimularse y afectar en forma adversa al individuo. El recorrido libera la atención de incidentes del pasado relacionados con drogas, de manera que las personas se vuelven más capaces de enfrentar la vida y de controlarse y controlar lo que hay en su entorno. Este recorrido sigue en uso hoy en día como la solución final en cualquier manejo de drogas.

Sin embargo, en la década de 1970, fue patente que era necesario resolver los factores subyacentes antes de hacer este recorrido. En la década de 1970, al trabajar con casos de personas que habían sido consumidores de drogas, y al estudiar sus síntomas físicos y tipos de comportamiento, hice un descubrimiento sorprendente:

> Las personas que habían consumido LSD en el pasado, parecían haber recaído y actuaban como si acabaran de tomar más LSD.

Como se ha dicho que sólo se requiere una millonésima parte de una onza de LSD para drogar a alguien, y puesto que en esencia es moho del trigo, y simplemente interrumpe la circulación, mi idea original sobre esto fue que el LSD permanece en el cuerpo.

El lugar donde las sustancias tóxicas tienden a encerrarse son los tejidos adiposos. Se ha dicho que al llegar a la edad madura disminuye la capacidad del cuerpo para descomponer las grasas. Por tanto aquí tenemos, aparentemente, una situación en que las sustancias tóxicas se han encerrado en el tejido adiposo y el tejido adiposo no se está descomponiendo. Por lo tanto, se pueden acumular esas sustancias tóxicas.

En otras palabras:

> AL PARECER EL LSD PERMANECE EN EL ORGANISMO, ALOJÁNDOSE EN LOS TEJIDOS DEL CUERPO, PRINCIPALMENTE EN EL TEJIDO ADIPOSO, Y PUEDE ENTRAR EN ACCIÓN DE NUEVO, HACIENDO QUE LA PERSONA EXPERIMENTE "VIAJES" IMPREDECIBLES, INCLUSO AÑOS DESPUÉS DE HABER DEJADO DE USAR EL LSD.

Miles de horas de investigación y pruebas culminaron en el desarrollo del Programa de Purificación, un proceso en el que se erradican del cuerpo los residuos de drogas y toxinas.

¡Por lo tanto, la conducta, las acciones y el nivel de responsabilidad de quienes han consumido LSD eran impredecibles! Sin mencionar que estos "flashbacks" (retrocesos) podían ser fatales si ocurrían cuando la persona estaba conduciendo un auto o incluso caminando.

¿Cuál era la respuesta para estos casos?

No existía ningún método conocido para librar al cuerpo de estos diminutos depósitos de drogas que, atrapados como estaban en los tejidos, no eran expulsados del todo en los procesos normales de eliminación.

Es obvio que la respuesta no estaba en tratar de resolverlo con más drogas o sustancias bioquímicas que sólo agravarían la situación. ¿Pero podría desarrollarse un método para desalojarlos y expulsarlos, liberando de esta manera a la persona para lograr una plena rehabilitación tanto física como mental y espiritual?

El "Programa de Sudado" Original

En 1977, desarrollé y di a conocer un régimen llamado "Programa de Sudado". Se basaba en la premisa de que los factores negativos que se observaron podrían invertirse si hubiera un medio para sacar del organismo los depósitos de LSD, y que el método más lógico para lograr esto sería exudarlos.

Las personas que hicieron el programa experimentaron la aparente exudación de sustancias aparte del LSD. Informaron que olían, que percibían sabores o sensaciones de los efectos de gran cantidad de drogas callejeras y sustancias químicas, como cuando las habían consumido o habían estado expuestos a ellas hacía años.

Estas mismas personas también experimentaban, levemente, algunas de las sensaciones de antiguas quemaduras solares, enfermedades y lesiones pasadas y otras afecciones del pasado, tanto físicas como emocionales.

El Programa de Purificación es un régimen exacto que combina ejercicio, sudar en el sauna y nutrición.

Por lo tanto, parecía que:

> NO SÓLO EL LSD, SINO OTROS VENENOS Y TOXINAS QUÍMICAS, CONSERVADORES, PESTICIDAS, ETC., AL IGUAL QUE DROGAS MEDICINALES Y LA LARGA LISTA DE DROGAS CALLEJERAS (HEROÍNA, MARIGUANA, COCAÍNA, ETC.), PUEDEN ALOJARSE EN LOS TEJIDOS Y PERMANECER EN EL CUERPO DURANTE AÑOS.
>
> INCLUSO LAS DROGAS MEDICINALES, COMO LAS PASTILLAS PARA DIETAS, LA CODEÍNA, LA NOVOCAÍNA Y OTRAS, AL IGUAL QUE LAS DROGAS PSIQUIÁTRICAS, PUEDEN REACTIVARSE AÑOS DESPUÉS DE HABERSE TOMADO Y DE HABERSE ELIMINADO SUPUESTAMENTE DEL CUERPO.

Por lo tanto parecía que cualquier sustancia bioquímica podía atraparse en los tejidos y que probablemente su acumulación alteraba la bioquímica y el equilibrio de los fluidos del cuerpo.

Esto fue lo primero que pensé sobre el tema. Ahora estaba siendo corroborado por más investigación, a medida que ocurrían más y más manifestaciones. (A partir de entonces, también ha sido corroborado por pruebas de científicas, así como por autopsias médicas en las que se han encontrado depósitos de determinadas drogas incrustadas en los tejidos del cuerpo).

Además, a medida que continuaba la investigación con las personas que estaban en el Programa de Sudado, todo indicaba que estas sustancias se expulsaban conforme las personas avanzaban en el programa. Y ellas mismas informaban que sentían un nuevo vigor, vitalidad e interés por la vida.

Sin embargo, el Programa de Sudado era un proceso largo que requería meses para completarse. Era necesario refinarlo y acelerarlo, así que desarrollé el Programa de Purificación.

La primera acción del programa en sí es correr. Correr hace que la sangre circule más rápido penetre más profundamente en los tejidos donde están atrapados los depósitos dañinos. Esto ayuda a aflojar los residuos tóxicos.

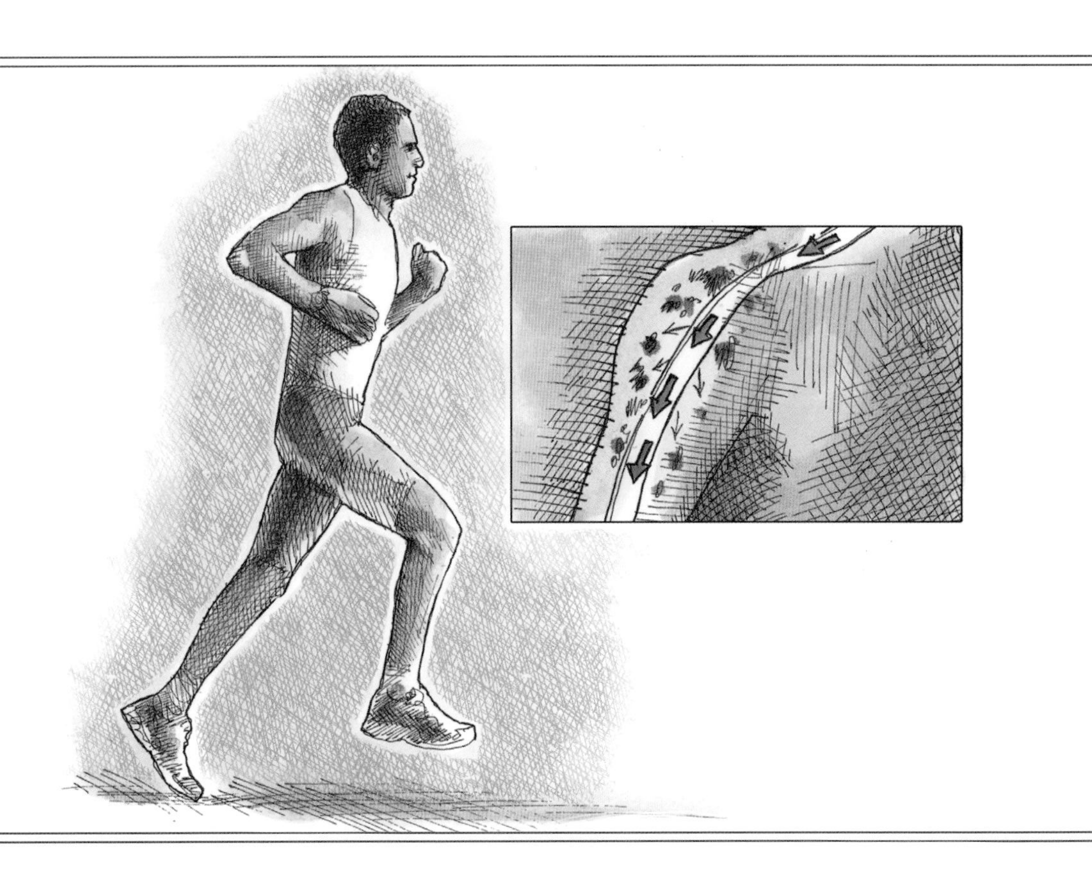

Elementos del Programa de Purificación

El Programa de Purificación es un régimen estrictamente supervisado que incluye los siguientes elementos:

1. Ejercicio (correr)
2. Sudar en el sauna
3. Nutrición, lo que incluye vitaminas, minerales, etc., al igual que la ingesta de aceite.
4. Un programación adecuada

La persona corre para hacer que la sangre circule más profundamente por los tejidos donde están alojados los residuos tóxicos, lo que sirve para soltar y liberar los depósitos dañinos acumulados y ponerlos en movimiento.

Por lo tanto, es muy importante que justo después de la carrera, se sude en el sauna para expulsar las acumulaciones que ahora se han desalojado.

Aunque la persona complemente su dieta acostumbrada con una buena cantidad de vegetales frescos, también toma un régimen exacto de vitaminas, minerales y cantidades adicionales de aceite. Las dosis de vitaminas que se recomiendan se aumentan en gradiente a lo largo del programa. (Al decir *gradiente* nos referimos a un acercamiento gradual a algo, paso a paso: en este caso, un incremento gradual de vitaminas). Este régimen no sólo es un factor vital para ayudar al cuerpo a expulsar toxinas, sino que también repara y reconstruye las zonas afectadas por las drogas y por otros residuos tóxicos.

Es obligatorio un horario adecuado con suficiente descanso, ya que el cuerpo estará sometido a cambios y regeneración durante el programa.

Estas acciones, realizadas bajo un control muy riguroso, aparentemente logran la desintoxicación de todo el organismo, con el fin de lograr una salud y un vigor renovados en el individuo.

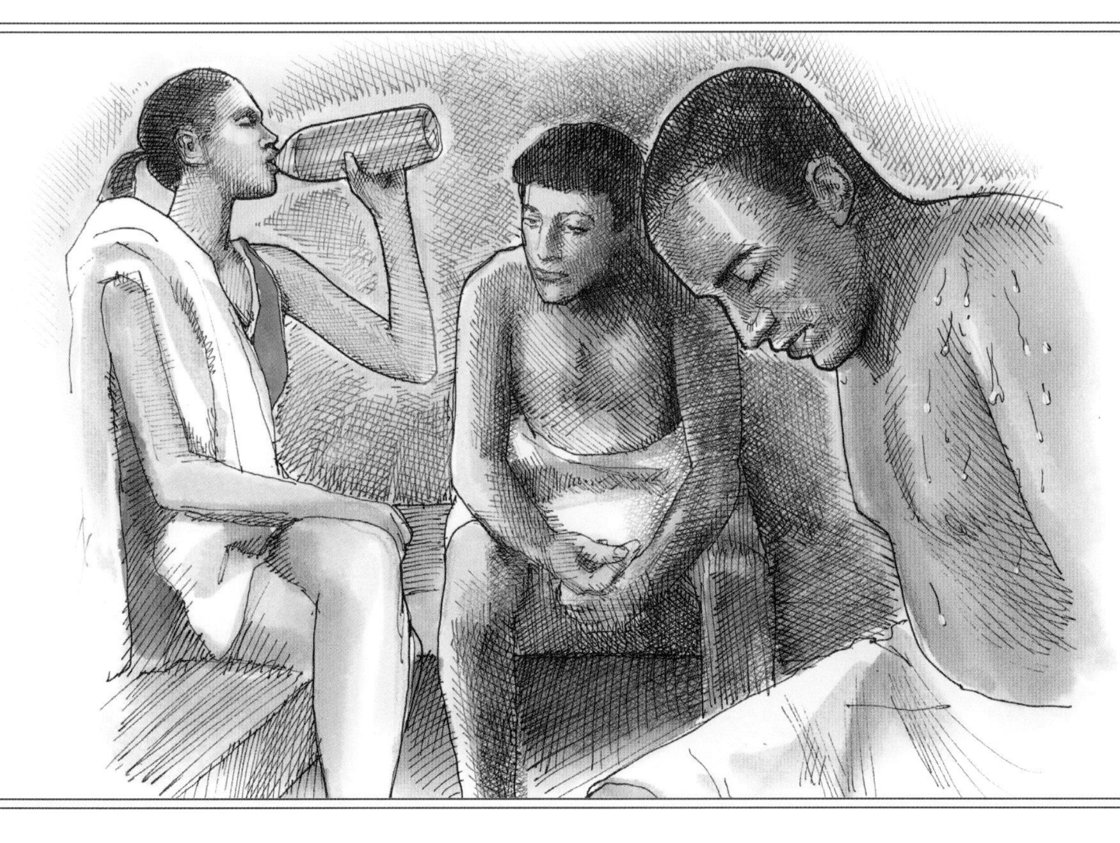

Inmediatamente después de correr sigue el tiempo en el sauna. La sudoración abundante permite que los residuos que se han desprendido salgan del cuerpo a través de los poros.

Aspectos Mentales y Espirituales

Existe, sin embargo, una visión más profunda y completa de todo el proceso, lo que incluye los aspectos mentales y espirituales del programa. Pues más allá de cualquier daño físico que puedan causar, muchas drogas, como la mariguana, el peyote, la morfina, la heroína, por nombrar algunas, tienen otro riesgo: afectan la mente de la persona en forma directa. Por ejemplo, se ha informado que el LSD, que originalmente se planeó para usos psiquiátricos, puede volver esquizofrénica a la gente normal.

Para entender bien los efectos de las drogas sobre la mente, es necesario saber algo sobre la naturaleza de la mente.

A medida que las personas avanzan en la vida, su mente registra cuadros de todo lo que perciben, momento a momento, veinticuatro horas al día. Estos *cuadros de imagen mental* son cuadros tridimensionales y a color que contienen todas las percepciones; todo lo que la persona ha visto, oído, sentido, olido, saboreado y experimentado.

El registro consecutivo de los cuadros de imagen mental que se acumulan a través de la vida de la persona se llama *línea temporal*. Está fechada muy exactamente. La línea temporal de una persona está formada, por lo general, de los sucesos registrados, momento a momento, que experimenta conforme avanza a través de la vida. Sin embargo, una persona que ha tomado drogas, además de los factores físicos implicados, retiene cuadros de imagen mental de esas drogas y sus efectos. En otras palabras, su línea temporal de ese periodo no sólo está formada por sucesos de tiempo presente. Sino que está revuelta: sus registros y percepciones mentales están distorsionados y enredados, combinan sucesos reales, imaginación y cuadros de incidentes del pasado.

Por ejemplo, digamos que en algún momento el individuo tomó LSD en un concierto de rock al aire libre en un cálido día de verano. Supongamos además que la persona experimentó varios efectos secundarios severos mientras estaba bajo el efecto de la droga. Estos incluyeron temperaturas corporales más elevadas,

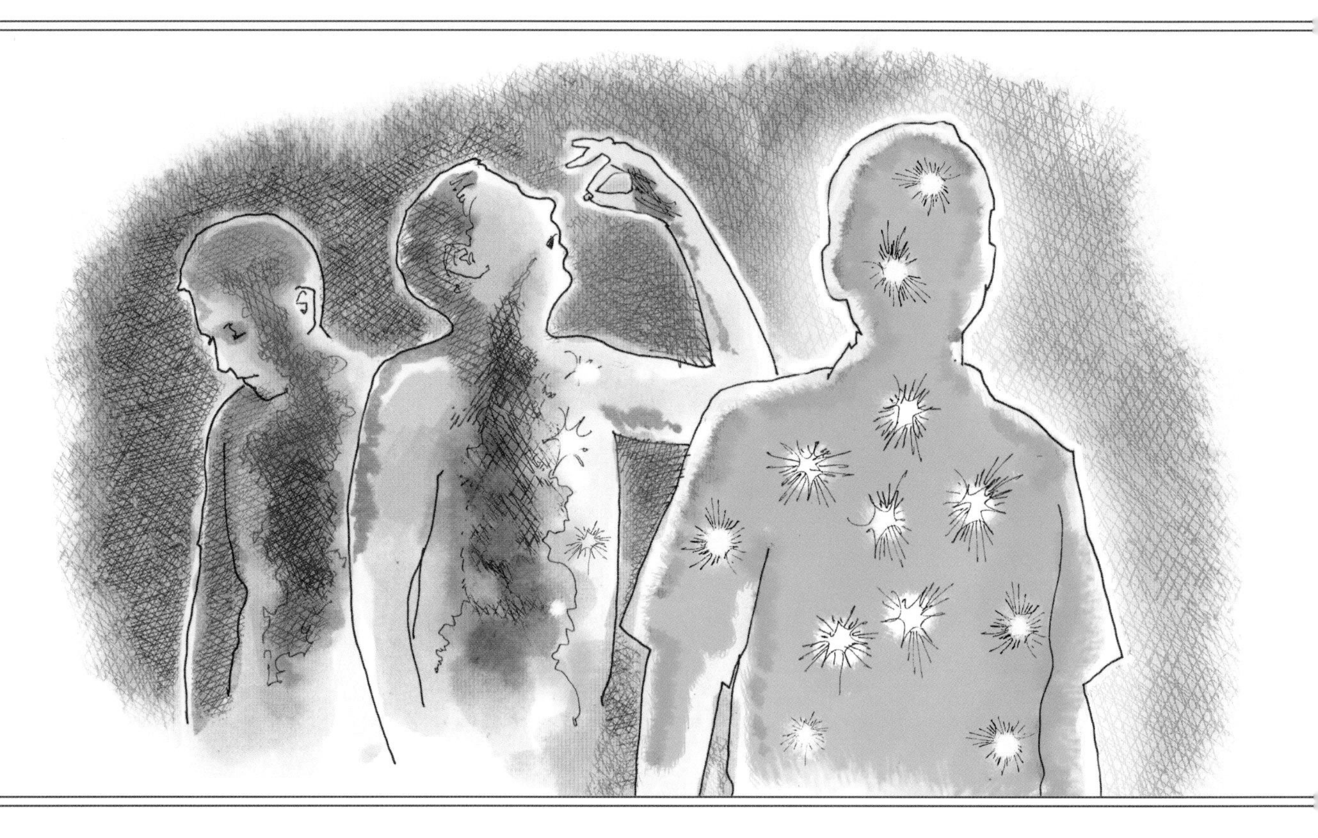

La nutrición es otro elemento vital del programa. Las vitaminas y los minerales ayudan a reparar el daño que las drogas y sustancias tóxicas han causado y ayuda a reconstruir los tejidos y las células.

incremento del ritmo cardiaco, cambios rápidos de estado de ánimo y náuseas provocadas por el olor del humo de cigarrillos. En algún momento del día, se alejó de sus amigos, sintió pánico y la ansiedad lo abrumó. También sufrió alucinaciones, de manera específica "escuchó" colores y "vio" sonidos. Este individuo tendría cuadros de imagen mental de todo lo relacionado con ese incidente de drogas, incluyendo lo que imaginó y las alucinaciones causadas por el LSD. Y esos cuadros podrían afectarle inesperadamente más tarde.

En un momento posterior, si el entorno de esta persona tuviera suficientes elementos similares a los de ese suceso del pasado, la persona podría experimentar una reactivación de ese suceso. Por ejemplo, podría salir en un día en que hiciera calor y escuchar música con alto volumen. Luego, una persona que estuviera cerca podría encender un cigarrillo y lanzar el humo hacia donde él está. Estos factores son suficientes para activar las experiencias inducidas por las drogas el día del concierto. Su corazón podría empezar a latir muy rápido y él podría sentir náuseas. También podría sentirse abrumado por la ansiedad sin razón aparente. Y además, podría experimentar el mismo tipo de alucinaciones relacionadas con la vista y el sonido. En otras palabras, sin consumir más drogas, las imágenes mentales podrían reestimularse y él podría volver a experimentar ese incidente de drogas.

Por otra parte, está el asunto de los residuos de drogas. Residuos del LSD que consumió ese día en el concierto permanecen atrapados en su cuerpo. Incluso años más tarde, algunos de esos cristales de LSD podrían liberarse del tejido adiposo y volver a su sistema. Al hacerlo, la droga se activaría y lo mandaría a un nuevo "viaje", exactamente como si hubiera consumido más LSD.

Por lo tanto, en el Programa de Purificación deben tomarse en cuenta dos factores:

1. Las drogas en sí y los residuos tóxicos en el cuerpo.
2. Los cuadros de imagen mental de las drogas y los cuadros de imagen mental de las experiencias con estas drogas.

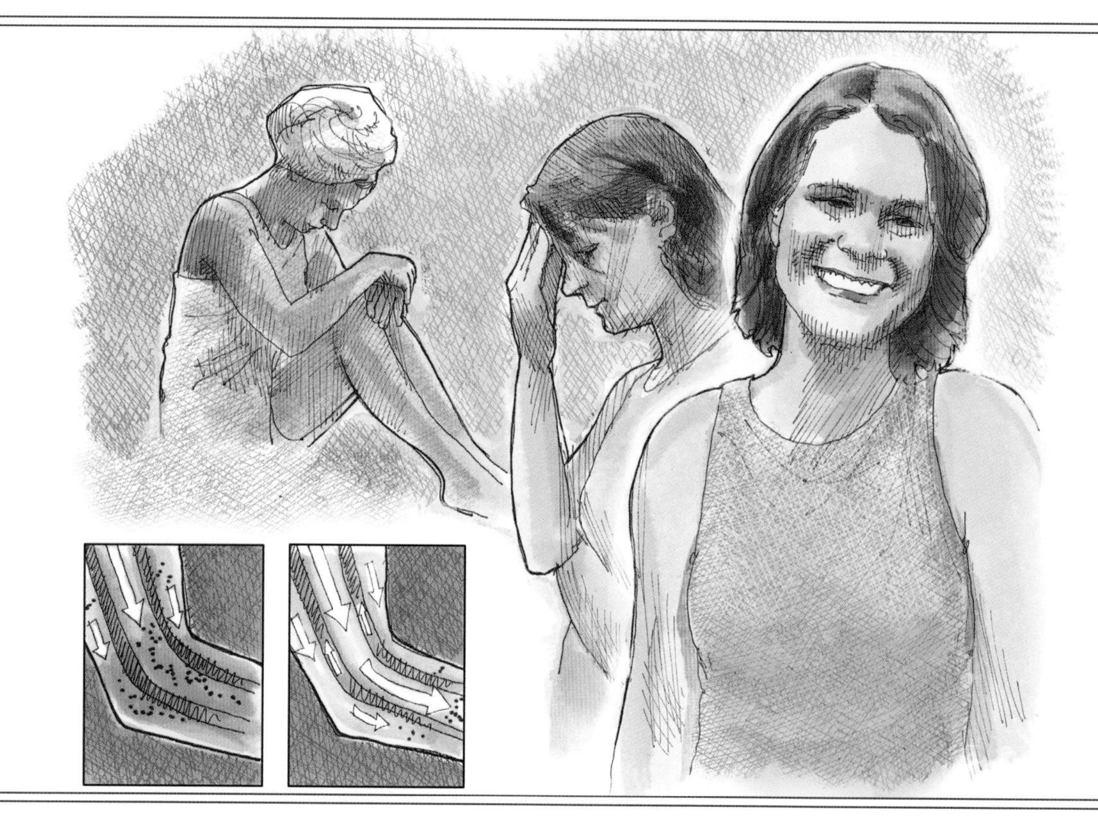

Una vitamina en concreto, la niacina, es fundamental para la eficacia del Programa de Purificación. Si se toma en cantidades suficientes, la niacina parece descomponer residuos de drogas y sustancias tóxicas y desprenderlos de los tejidos y células.

Estos dos factores están en suspenso: interrelacionándose en perfecto equilibrio. Lo que la persona siente son las dos condiciones: la presencia real de los residuos de drogas y los cuadros de imagen mental relacionados con ellos.

El Programa de Purificación maneja uno de estos factores: los residuos tóxicos que se han acumulado. Y esto dispone a la persona de modo que el otro factor, los cuadros de imagen mental, dejen de ser reestimulativos y no estén en constante reestimulación. Es así de sencillo.

Lo que pasa en el Programa de Purificación, entre otras cosas, es que se altera este equilibrio perfecto. De pronto, el equilibrio y las reacciones cruzadas desaparecen. Los residuos químicos dañinos y reestimulantes han sido expulsados: han desaparecido. Sin embargo, esto no significa que los cuadros de imagen mental se hayan ido. Pero ya no están en reestimulación y no los refuerza la presencia de residuos de drogas.

Al deshacer el equilibrio entre estos dos factores y al manejar los residuos tóxicos en el Programa de Purificación, eliminamos en la persona elementos destructivos para su salud física y la liberamos para que tenga ganancias mentales y espirituales. En otras palabras, ahora la persona está en una condición en la que puede tratar de mejorar sus propias percepciones y habilidades.

El Programa de Purificación: Un Programa de "Desintoxicación de Largo Alcance"

Incluso alguien que lleva años sin tomar drogas, tiene todavía "periodos en blanco". Las drogas pueden dañar la habilidad de la persona para concentrarse, trabajar y aprender. Los residuos de drogas pueden detener cualquier ayuda mental. ¡También detienen la vida de una persona!

Aunque el Programa de Purificación se diseñó originalmente para manejar las drogas acumuladas en el sistema, parece que también expulsa otras sustancias tóxicas acumuladas en el cuerpo.

Conforme una persona pasa a través del programa y elimina las impurezas, pueden reactivarse los efectos de las drogas, los medicamentos e incluso la radiación. Esos efectos se reducen cada vez más hasta que finalmente desaparecen.

Estas sustancias se deben eliminar para obtener una mejoría mental y espiritual estable. La regla operativa es que las acciones mentales, e incluso las acciones biofísicas (métodos de poner a un individuo en una mejor comunicación con su entorno), no dan resultado en presencia de elementos hostiles a la vida.

Al rehabilitar a un individuo, sólo cuando hemos logrado un remedio bioquímico, podemos continuar con el siguiente paso, el tratamiento biofísico (mejorar la habilidad de la persona para controlar su cuerpo y su entorno) y luego dirigirnos a una mejora espiritual y mental.

El desarrollo de un programa para tratar las drogas y los depósitos de drogas y productos químicos del cuerpo, se basó en el hecho de que la rehabilitación con éxito de un individuo, sólo puede lograrse en la secuencia descrita anteriormente. Cuando tratamos de cambiar su orden y cambiamos su secuencia, obtenemos pérdidas. Además, es necesario llevar a cabo todos los pasos para lograr una rehabilitación total.

Limpiar el cuerpo parece producir un beneficio, y este se puede considerar una finalidad en sí, aunque esa no fue la motivación original. En vista de lo que evidentemente logra, se podría considerar que el Programa de Purificación es un programa de desintoxicación a largo plazo. Pero se debería identificar como lo que es, puesto que es único entre los programas de desintoxicación, tanto por su procedimiento como por los resultados que se presentan en informes. Que yo sepa, no existe otro método conocido para eliminar del cuerpo las sustancias acumuladas y atrapadas en él. Ronald

Libre de los efectos dañinos de las drogas y las toxinas, uno entonces estará en las mejores condiciones posibles para alcanzar los beneficios espirituales duraderos que ofrece el programa. Este es, por supuesto, el único objetivo y el objetivo final del Programa de Purificación.

Entre otros complementos nutricionales que se han investigado con cuidado y que son necesarios para eliminar los depósitos tóxicos, está la niacina, que es parte de la familia del complejo B y en relación con la cual existen malentendidos. Como Ronald lo explica a continuación, sus estudios sobre esta vitamina fueron extensos y prolongados. De hecho, mucho antes de que el abuso de drogas llegara a ser un azote pandémico, la niacina había sido un tema de estudio como antídoto a la exposición a la radiación. La historia completa de lo que se dice aquí sobre las pruebas de armas atómicas en relación con el personal militar estadounidense, seguramente es una de las notas marginales más negras del siglo XX. Pues teniendo un conocimiento completo de las consecuencias de exponerse a niveles anormalmente altos de radiación, se asignó deliberadamente a unos dos mil marines para que estuvieran a una distancia aproximada de cinco kilómetros de la zona en que se llevó a cabo la prueba atmosférica más extensa de armas nucleares dentro del área continental de Estados Unidos. Las consecuencias, en cuanto a provocar concentraciones de casos de cáncer y enfermedades relacionadas, fueron devastadoras; y sobre todo tomando en cuenta la tasa de la leucemia en poblaciones hacia las que el viento lleva partículas radioactivas. Sin embargo, aquí también se presentan referencias sobre el hecho de que la niacina probó ser un catalizador extraordinariamente efectivo para eliminar la radiación, y continúa probándolo después de los derrames en reactores nucleares.

Los casos son asombrosos y a menudo milagrosos, pues se eliminaban las quemaduras por la radiación mediante los patrones originales con que antes se recibieron. Por ejemplo, este informe inicial tiene que ver con esos 2,100 marines que participaron en las pruebas de Nevada en junio y julio de 1957:

"Se nos dijo que nos inclináramos dentro de la trinchera y que nos cubriéramos los ojos con los antebrazos. Cuando se presentó esa explosión, yo pude ver el hueso de mi brazo a través de mis ojos cerrados... se nos lanzaba de un lado a otro dentro de la trinchera. Era como si una estampida de ganado pasara sobre nosotros. La fuerza y el calor eran tremendos, teníamos quemaduras en la parte posterior del cuello. No se nos había preparado con anticipación para nada de esto... Éramos inocentes como niños hasta que la bomba iluminó el cielo como si fuera de día y cuando me di la vuelta pude ver un maniquí que estaba detrás de mí con el rostro en llamas".

Después de inscribirse en el Programa de Purificación aproximadamente dos décadas más tarde (y después de incontables malestares físicos), apareció un enrojecimiento que correspondía exactamente con las quemaduras en el cuello antes mencionadas y luego se disipó con rapidez. De manera similar, una víctima del bombardeo en Hiroshima dijo que eliminó un enrojecimiento que correspondía exactamente a las quemaduras que recibió a través de la ventana de su apartamento en Hiroshima. Pero lo más importante es que ambos casos informaron de mejorías igualmente extraordinarias en la salud, en la claridad de pensamiento y en un incremento de vitalidad.

NIACINA: LA VITAMINA "EDUCADA"

de L. Ronald Hubbard

La niacina, como una de las vitaminas del complejo B, es esencial para la nutrición. Es tan vital para la efectividad del Programa de Purificación, que requiere que se le mencione aquí ampliamente.

Las reacciones bioquímicas de la niacina son mis propios descubrimientos, hechos a través de investigaciones a lo largo de tres décadas.

La niacina puede producir algunos resultados sorprendentes, y al final muy benéficos, cuando se toma de forma apropiada durante el programa, junto con las otras vitaminas y minerales que son necesarios, en cantidades proporcionadas y suficientes. Sus efectos pueden ser bastante asombrosos, así que deberíamos entender lo que es y hace la niacina antes de empezar el Programa de Purificación.

En particular, la niacina, parece descomponer y liberar de los tejidos y células el LSD. Puede liberar con rapidez los cristales de LSD que están dentro del organismo, y hacer que la persona que en el pasado ha tomado LSD, tenga un viaje. (Un individuo que había hecho el antiguo Programa de Sudado por un periodo de meses, y que creía que ya no había más LSD en su organismo, tomó 100 mg de niacina, ¡y rápidamente se le presentó una reestimulación de un viaje completo de LSD!).

La niacina tiene el mismo efecto en los residuos de mariguana y otras drogas, y en otras sustancias tóxicas. Por lo tanto esta vitamina es un componente integral del Programa de Purificación. Se debe combinar el correr y sudar con tomar niacina, para asegurarse de que las sustancias tóxicas que esta libera sean expulsadas del cuerpo.

La Niacina y la Radiación

Entre las manifestaciones más sorprendentes que causa la niacina es que puede hacer aparecer en forma de enrojecimiento las quemaduras del sol en el cuerpo de la persona, mostrando la inconfundible línea del traje de baño.

La primera vez que encontré este fenómeno fue en experimentos que hice en 1950. Extrañamente, tanto las farmacopeas británicas como las norteamericanas, anunciaban que esta sustancia, el ácido nicotínico (la niacina), hacía que apareciera un enrojecimiento, y por lo tanto era tóxica en dosis excesivas.

Sin embargo, descubrí que si uno continuaba tomando niacina, en lo que la farmacopeas considerarían "sobre dosis" al final dejaba de tener esos enrojecimientos. De manera específica, los enrojecimientos tipo quemadura de sol dejaban de aparecer con 200 miligramos; después volvían a aparecer con 500, pero con menor intensidad. Luego uno podría tener una pequeña reacción por días con 1,000 mg, después de lo cual tomaría una dosis de 2,000 miligramos y descubrir que ya no había más efectos. La persona se sentía bien, su "quemadura de sol" desaparecía y ya no experimentaba enrojecimiento a causa de la niacina.

Pero si la niacina fuera tóxica, ¿cómo es que mientras más "excesiva sea la dosis" más pronto dejaba uno de tener el enrojecimiento similar a la quemadura del sol?

Los autores de la farmacopea o los bioquímicos pueden seguir creyendo que la niacina hace aparecer un enrojecimiento y siempre lo hará cuando se administra una "dosis excesiva". Pero la parte interesante de esto es que llega a un punto en que ya *no* hace aparecer un enrojecimiento. Esto no sucede por acondicionamiento del cuerpo; no es eso lo que ocurre.

Con frecuencia causa un enrojecimiento muy fuerte con calor, picazón y comezón en la piel, que puede durar una hora o más. También puede causar escalofríos o hacer que uno se sienta cansado.

Aparentemente la niacina elimina algo. En el caso de la quemadura en forma del traje de baño que aparecía, estaba eliminando quemadura del sol, que en realidad es una quemadura de radiación. También provoca náusea, irritaciones en la piel, urticaria y colitis, los cuales todos son síntomas de exposición a la radiación.

Por lo tanto, la niacina parece tener, evidentemente, un efecto catalítico al eliminar la exposición a la radiación. Entonces el Programa de Purificación no es sólo para las drogas: la cantidad de niacina que se toma, en combinación con el calor en el sauna, aparentemente también elimina cierta cantidad de radiación acumulada en la gente.

Pasar a Través de Deficiencias del Pasado

En teoría, parece que la niacina no hace nada por sí misma. Sólo interactúa con las deficiencias de niacina que ya existen en la estructura celular. No hace que se manifiesten alergias; parece que las elimina. Al parecer, es evidente que todo lo que hace la niacina es el resultado de su acción de eliminar y revivir las deficiencias del pasado.

Las manifestaciones que la niacina produce son fantásticas. Algunos de los somáticos (dolores físicos y malestares) y manifestaciones que ya han sido mencionadas: viajes de LSD, quemaduras de sol y los síntomas de exposición a radiación. La persona también podría experimentar síntomas de gripe, gastroenteritis, dolores de huesos, malestar estomacal o incluso un estado de miedo o de terror. De hecho, parece que no hay límite en la variedad de fenómenos que pueden ocurrir con la niacina. Si algo está ahí para ser eliminado por la niacina, aparentemente la niacina lo eliminará.

Estos son los dos hechos vitales que se han probado mediante observación:

1. Cuando se siguió administrando niacina hasta eliminar estas cosas, estas entonces desaparecían, como seguramente lo *harán*.
   Es un hecho establecido que una reacción que aparece por la niacina, desaparecerá cuando esta se continúe administrando.

"En particular, la niacina parece descomponer y liberar de los tejidos y células el LSD. Puede liberar con rapidez los cristales de LSD que están dentro del organismo, y hacer que la persona que en el pasado ha tomado LSD, tenga un viaje".

2. Cuando se aumentó la dosis de niacina, y de forma proporcional también se aumentó todo el resto de las demás vitaminas que se tomaban, la niacina en sí, tomada en grandes cantidades, no creó una deficiencia vitamínica.

En el Programa de Purificación, el incremento progresivo de las dosis de niacina es lo que determina el aumento proporcional de las demás vitaminas y minerales. Y en realidad, la niacina es la que controla el final de la Purificación, porque cuando uno ya no siente los efectos de las drogas y las toxinas del pasado, uno ha alcanzado el propósito del programa.

La reacción bioquímica de la niacina fue el descubrimiento esencial, un descubrimiento que representó una contribución incalculable al éxito de los resultados del Programa de Purificación. *Ronald*

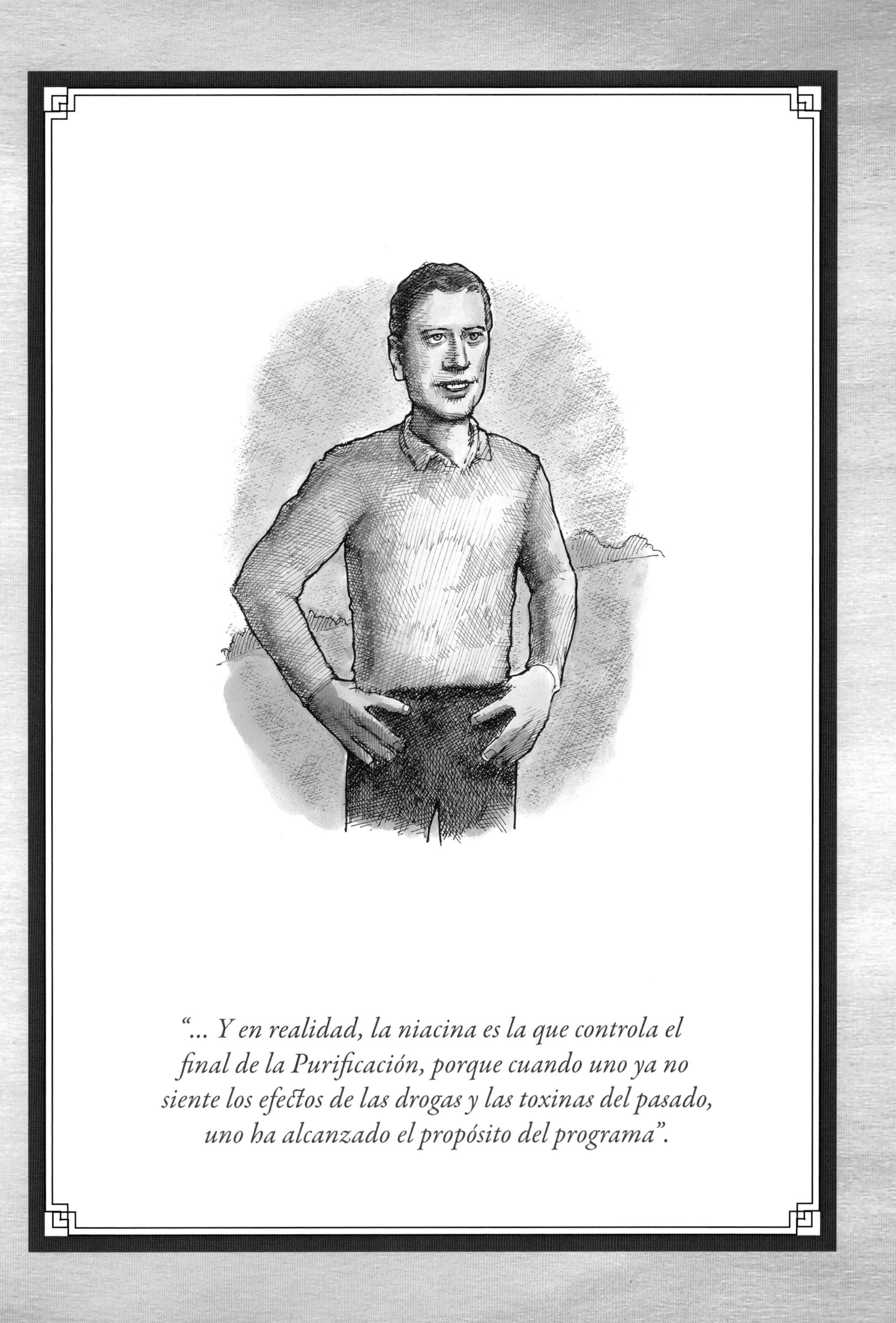

"... Y en realidad, la niacina es la que controla el final de la Purificación, porque cuando uno ya no siente los efectos de las drogas y las toxinas del pasado, uno ha alcanzado el propósito del programa".

Apreciación Científica y Profesional

Con la inevitable atención a los métodos de purificación y desintoxicación de L. Ronald Hubbard en los círculos médicos y científicos vino la inevitable apreciación científica. Principalmente, el interés de los laboratorios se concentró en dos aspectos de los descubrimientos de L. Ronald Hubbard. Primero, por supuesto, el médico ambiental por lo general no había sospechado que los residuos tóxicos se retuvieran en el cuerpo; mientras que aquellos que lo sospechaban nunca imaginaron que los tejidos adiposos fueran los culpables. En todo caso, nunca se soñó que fuera posible encontrar un método efectivo para eliminar las toxinas del cuerpo; de ahí el énfasis en la prevención y no en el tratamiento. Al final de cuentas, sin embargo, no se puede discutir con los resultados. Aquí sólo se presenta una pequeña fracción de las proclamaciones de aquellos que miden la eficacia de forma meticulosa.

Doctora Anna C. Law
Gerald T. Lionelli, MS
Periódico de la Industria de Ambulancia
mayo - junio 1989
Volumen 9 N°. 3

"El método de Hubbard se ha convertido en el único método de desintoxicación humana ampliamente usado. Informes publicados por la Real Academia Sueca de Ciencias, la Agencia Internacional para la Investigación sobre el Cáncer de la Organización Mundial de Salud y otros, han demostrado que es un método seguro y efectivo para reducir niveles corporales de contaminantes ambientales comunes y aliviar los síntomas asociados con la exposición a ellos".

James G. Dahlgren
Profesor de Medicina,
Universidad de California en Los Ángeles

"He dedicado los últimos treinta años de mi vida a la investigación, al análisis de salud y otras actividades relacionadas con los efectos que el estar expuesto a sustancias tóxicas tiene en la salud. He evaluado el estado de salud de cientos de bomberos en ciudades de todo el país.

"Las exposiciones resultantes de la catástrofe del World Trade Center no tienen precedente. El polvo, el gas y el vapor tóxicos que surgieron del derrumbe del World Trade Center y del incendio posterior contenían cientos de diferentes sustancias químicas tóxicas como dioxinas, PCB, asbesto, sílice, benceno, éteres de bifenilos polibromados, manganeso, cromo, plomo, mercurio, níquel y óxidos de nitrógeno y de azufre.

"Esta es una lista muy corta de las sustancias tóxicas que estaban presentes. Los productos de la combustión crearon una gran cantidad de sustancias tóxicas que no han sido bien identificadas, pero que se sabe que son factores importantes en la toxicología relacionada con el fuego.

"Además, la fuerza generada por el derrumbe de las torres fue tan grande que creó partículas ultra finas de estas toxinas; mucho más pequeñas de las que alguna vez se hubieran visto. El 'polvo' que se creó era, en diversas formas, como un gas; lo que hizo que los

"Ahora hemos tratado a cerca de 4,000 personas con el Programa de Desintoxicación Hubbard. Puedo decir sin duda que funciona".

mecanismos del cuerpo diseñados para proteger a los pulmones fueran inútiles.

"No es de extrañar, entonces, que el estar expuesto a lo que ocurrió en el World Trade Center haya tenido como resultado problemas respiratorios graves. Pero estos síntomas sólo son los primeros que se pueden anticipar...

"Por ejemplo, es probable que los bomberos con diagnóstico de 'síndrome de estrés postraumático' en realidad estén sufriendo una lesión neurológica causada por las numerosas neurotoxinas presentes en el suceso.

"El Programa de Desintoxicación Hubbard es el único método que existe que ofrece la posibilidad de reducir la carga corporal de sustancias tóxicas que pueden causar enfermedades. Repito: es el único método que ha mostrado ser prometedor en este sentido".

Dr. David E. Root, MPH, Asesor Médico Superior del Proyecto de Desintoxicación para los Rescatistas de Nueva York

"Ahora hemos tratado a cerca de 4,000 personas con el Programa de Desintoxicación Hubbard. Puedo decir sin duda que funciona. Sigue siendo el único tratamiento que se ocupa de los efectos de las toxinas acumuladas. Y no hay nada más con que compararlo".

El casco conmemorativo de bombero que se otorgó en reconocimiento por lo que el Programa de Purificación representó para el personal de Rescate de Emergencia que sufrió las consecuencias de una exposición tóxica después del 11 de septiembre. La inscripción dice: *"Para nuestro hermano, L. Ronald Hubbard, de tus hermanos del Departamento de Bomberos de la Ciudad de Nueva York, te honramos con este casco, símbolo de nuestro lema: 'Proteger la vida y la propiedad', que es lo que el legado de tu tecnología representa".*

CAPÍTULO TRES

Las Drogas, la Mente y EL ESPÍRITU HUMANO

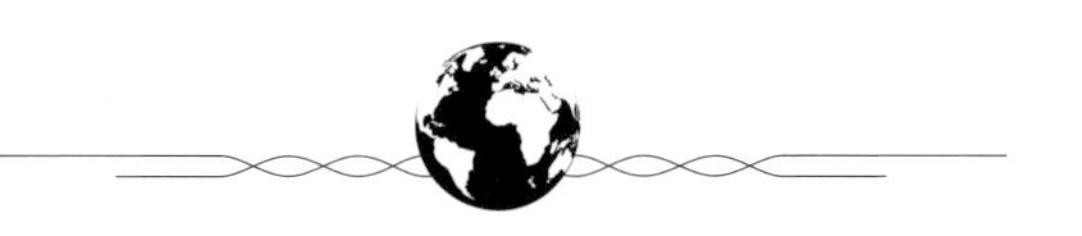

Las Drogas, la Mente y el Espíritu Humano

"Mi investigación de muchísimos años se llevó a cabo con el propósito de liberar espiritualmente al hombre. Mi búsqueda original fue sobre la naturaleza del hombre, y la mayor parte de mis esfuerzos se ha dirigido al hombre como ser espiritual. Cuando surgieron barreras en esto, esas barreras merecían mayor investigación y resolución". —L. Ronald Hubbard

Esta afirmación es enormemente significativa, y demuestra todo el impulso de los métodos de L. Ronald Hubbard para la rehabilitación de drogadictos. Es decir, el problema de la drogadicción es definitivamente un problema de la mente y del espíritu, y no se puede resolver por completo a menos que se aborde como tal. Por tanto, L. Ronald Hubbard extrajo de los principios de Dianética y Scientology la forma de abrir un camino para el ascenso espiritual. Que su tema de estudio involucrara cosas como experiencia perceptual, emociones y sensaciones, de ninguna manera significa que la solución sea intangible. Por el contrario, es tan tangible como un hábito de 400 dólares al día. El hecho de que la comunidad médica basada en el materialismo haya adoptado estos procedimientos con tanto entusiasmo, tampoco es importante. La verdad es que lo que estamos a punto de examinar brota de una ecuación espiritual. (Mientras que por el contrario, el ímpetu del consumo moderno se encuentra en una ecuación materialista en la que se cree que todo lo que pensamos y sentimos es una recombinación química contenida en algún confín del cerebro. De ahí el argumento farmacéutico implícito de que si nuestra vida es imperfecta, entonces, manipulemos la química).

Los fundamentos son estos: cuando hablamos de resolver el aspecto *mental* y *espiritual* del uso de las drogas, estamos hablando de emplear la práctica central de Dianética y Scientology, que es procesamiento o auditación (de *audire,* escuchar). La entrega un auditor, que emplea un Electropsicómetro o E-Metro, para medir el estado mental o el cambio de estado de la persona, y así le ayuda a localizar con precisión las fuentes de sufrimiento personal,

Mientras que el Programa de Purificación libera al cuerpo de los residuos de drogas, una libertad total de las drogas y sus consecuencias dañinas requiere que se aborden los cuadros de imagen mental relacionados con el uso de drogas. Este procesamiento, conocido como Recorrido de Drogas, maneja las repercusiones mentales y espirituales del uso de drogas y lo entregan profesionales altamente entrenados en las iglesias y misiones de Scientology.

Uno empieza a recurrir a las drogas por alguna razón, algún sufrimiento físico o desesperanza. En realidad, el problema es esencialmente espiritual. El drogadicto estaba sufriendo y las drogas llegaron a ser la solución para esas sensaciones o condiciones no deseadas.

que de otra forma permanecerían ocultas. El procesamiento, que no es ni evaluativo ni ambiguo, no tiene nada que ver con la psicología ni la psicoterapia. En otras palabras, es el medio para lograr una mejor comprensión de uno mismo mediante procesos formulados con precisión que le permiten descubrir sus propias verdades fundamentales. Se basa en su totalidad en el hecho de que somos seres espirituales omniscientes y benévolos en potencia, y en que si tan sólo pudiéramos comprender la fuente de nuestras penas, ya no las sufriríamos más.

Al hablar de la rehabilitación del consumidor de drogas mediante el procesamiento de Dianética y Scientology, hablamos de los procesos que se conocen en conjunto como el *Recorrido de Drogas.* Como se indicó anteriormente, el Recorrido de Drogas aborda no sólo las consecuencias más profundas del consumo, sino también los factores que precipitaron su consumo en primer lugar. El recorrido se proporciona exclusivamente en iglesias de Scientology por profesionales altamente entrenados, y aunque una apreciación completa del procedimiento exige una comprensión

Las percepciones y los registros mentales de lo que se experimentó estando drogado son inexactas, por no decir otra cosa; son una combinación de memoria, imaginación y lo que en realidad sucedió en ese momento. Por consiguiente, el recuerdo que el drogadicto tiene de la experiencia del pasado está embrollada con la experiencia del tiempo presente.

bastante profunda de los principios de Scientology, los elementos esenciales son bastante simples.

El consumo de drogas, incluso el medicinal o el esporádico, tiende a fomentar una severa separación de la realidad. (Así lo atestigua el estilo extremadamente irreal de la mayoría del arte psicodélico). Normalmente el consumidor es también incomunicativo, ha perdido contacto con la vida y no puede seguir patrones normales de comportamiento social. Además, y con cierto énfasis, Ronald habla de que el consumidor no está realmente al tanto de los sucesos de tiempo presente y no percibe lo que otros perciben. Pues al haber buscado escaparse de un presente aparentemente insoportable, se encuentra fijo en un pasado ilusorio. El asunto es muy serio; explica el paralelismo muy real que hay entre el consumo de drogas y la demencia, y por lo tanto es lo primero que se aborda mediante el Recorrido de Drogas. Es decir, por medio de lo que se llama *procesamiento objetivo,* se vuelve a orientar al antiguo consumidor hacia el presente, y se le alivia de la fijación obsesiva en su experiencia con las drogas.

Esencialmente, entonces, las imágenes mentales están mezcladas en su mente en cierta medida. Por tanto, su memoria y su capacidad para pensar están seriamente incapacitadas.

Después del procesamiento objetivo viene el procedimiento que se dirige al impacto real de las drogas sobre la mente. En particular, y adicionalmente a los estragos que las drogas causan en términos meramente físicos, el consumidor retiene un registro consecutivo de todas las experiencias relacionadas con las drogas en forma de cuadros de imagen mental. Estas imágenes son literalmente grabaciones en tres dimensiones de experiencias percibidas, que incluyen emociones, especulaciones y conclusiones. Aunque con frecuencia está más allá del control voluntario, el registro de la experiencia con drogas contiene energía real o *carga* mental que puede que ejerza considerable influencia sobre la capacidad intelectual, el comportamiento y las funciones corporales. Además, y esto es específico del caso de drogas;

"... se debe apreciar que, invariablemente, el consumidor estaba angustiado antes del consumo, o nunca habría recurrido a las drogas en primer lugar".

El procedimiento exacto
que hace que el individuo
aborde las experiencias que
ha tenido mientras estaba
tomando las drogas
DOLOR
Para descubrir y
examinar la fuente
de las sensaciones
relacionadas
con las drogas
DOLOR

El Recorrido de Drogas, maneja el aspecto mental y espiritual de su uso. Primero abarca las experiencias de cuando la persona estaba bajo el efecto de las drogas con procedimientos exactos, aliviando las fijaciones en esas experiencias. A base de descubrir y examinar la fuente de esas sensaciones, la energía mental dañina se elimina.

el consumidor retiene imágenes mentales de las experiencias alucinógenas, algunas son bastante horribles y causan en el pensamiento un impacto insidioso y aterrador.

El propósito del siguiente paso del Recorrido de Drogas es abordar las experiencias del consumo, aliviar el trauma que conlleva y la reestimulación de recuerdos relacionados. En términos puramente técnicos, el Recorrido de Drogas se convierte en el proceso de identificar carga mental acumulada debido a las experiencias con drogas, inspeccionar esa carga y agotarla. También se abordan actitudes, emociones, sensaciones y dolores relacionados con las drogas; todos ellos componentes por igual de los cuadros de imagen mental, y capaces de reactivarse incluso décadas después del consumo. Por lo tanto, el antiguo consumidor muy comúnmente se queja de dolencias psicosomáticas, de dificultad de percepción, de oclusión emocional y de problemas en destrezas cognitivas. De ahí también la razón de que los antiguos consumidores hablen de épocas en que se sentían más despiertos, más saludables, más capaces y más vivos.

En lo que respecta a la fase final del Recorrido de Drogas (la resolución de los factores que llevaron al consumo) se debe apreciar que,

Un procedimiento exacto que hace que el individuo aborde el impulso subyacente que lo llevó a consumir drogas y las sensaciones físicas , emocionales y mentales no placenteras que se relacionan con él
DOLOR
EMOCIÓN
Descubrir y examinar lo que estaba mal antes de usar las drogas se convirtió en la solución o la "cura"

Finalmente, el Recorrido de Drogas aborda el impulso subyacente que llevó al consumo y las sensaciones físicas, emocionales y mentales no placenteras que se relacionan con ello. En otras palabras, el paso final del recorrido aborda lo que estaba mal en la persona antes de que las drogas se convirtieran en la solución o la "cura". Si la causa subyacente del consumo no se resuelve, la necesidad o la compulsión permanece.

invariablemente, el consumidor estaba angustiado *antes* del consumo, o nunca habría recurrido a las drogas en primer lugar. Esa angustia pudo haber sido física, emocional, o relacionarse con cualquiera de las innumerables dificultades que con tanta frecuencia se atribuyen a las deficiencias de la existencia moderna. Pero, a pesar de todo, el problema de las drogas siempre va precedido de un problema en la vida. Ese problema se debe resolver antes de que la persona esté realmente libre de la necesidad de consumir drogas, y francamente, eso sólo se resuelve con el Recorrido de Drogas.

Dado que el Recorrido de Drogas es un proceso completamente subjetivo; es decir, que se basa en el hecho de que la persona al fin y al cabo debe descubrir sus propias respuestas, puede que sea casi imposible apreciar lo que aquí se revela, sin haberlo experimentado uno mismo. Sin embargo, reconozcamos esto: aunque la teoría convencional sostiene que el adicto ha recibido un daño permanente, que su necesidad puede ser suprimida o reemplazada pero nunca superada, que el daño de la adicción nunca se curará; el Recorrido de Drogas prueba lo contrario y lo hace categóricamente. De hecho, todos los

El Recorrido de Drogas, por lo tanto, soluciona las sensaciones no deseadas durante *y* antes del consumo de drogas, alcohol o medicamentos. Es una solución en el sentido más amplio de la palabra; ya que se elimina la verdadera compulsión. Por tanto, una solución total para el consumo de drogas requiere de todos estos pasos.

Cuanto más libre del pasado esté la atención de una persona, más capaz será para enfrentar la vida. En pocas palabras, se sentirá más inteligente, disfrutará de un incremento en la percepción, en el control de sí mismo y el entorno y tendrá mejores relaciones con otros.

resultados que hemos visto respecto al Programa de Purificación y al programa de Narconon no son sino una fracción de las mejoras que se pueden obtener con el Recorrido de Drogas. De hecho, aquellos que terminan el Recorrido de Drogas comúnmente informan de un aumento en vitalidad, habilidad e inteligencia, *mayor* al que tenían antes de las drogas.

"La Ruta de Salida" de L. Ronald Hubbard es otra declaración sobre lo que significa la rehabilitación espiritual de aquellos que sucumbieron al uso de drogas. El hecho de que su tono sea moderado, e incluso modesto, es apropiado. El mensaje es simplemente una declaración de los hechos. Tomando en cuenta que Scientology en verdad proporciona un camino de regreso a partir de una adicción empedernida, ¿qué más se podría decir? ■

Con el uso de los principios de Dianética y Scientology para la rehabilitación de adictos encarcelados, viene la siguiente carta de L. Ronald Hubbard para todos los interesados. Quienes estén familiarizados con el amplio trabajo de Ronald en favor de la salvación moral y ética de los criminales, reconocerán su tono: firme, pero sincero; comprensivo, pero no moralizante; y sobre todo honesto. Aquellos que están familiarizados con la historia generalizada de Dianética y Scientology reconocerán este sentimiento: estos son descubrimientos "del pueblo y para el pueblo", como L. Ronald Hubbard lo expresó, y son descubrimientos que cualquier persona puede usar.

EL CAMINO DE SALIDA

de L. Ronald Hubbard

Existen dos formas para escapar del trato injusto y cruel que este universo a veces imparte.

Una es quedarse dormido o salirse completamente de la realidad y olvidarlo.

La otra es alcanzar un estado de ser sereno y calmado, a prueba de los golpes y los ataques del infortunio.

El primer método conlleva varios riesgos. Sin embargo, es la ruta más común que siguen los seres humanos que encuentran que el camino es demasiado difícil.

El alcohol, las drogas y el autohipnotismo han sido las únicas cosas que los hombres han tendido a usar para este propósito.

El único auténtico problema con ellas es que uno despierta en el mismo mundo; pero un poco más débil, con los ojos un poco más rojos, y sintiéndose un poco peor.

Ni las drogas ni los otros azotes en la cabeza cambian el universo en lo absoluto y uno todavía se encuentra en él, con los mismos problemas y probablemente con una resistencia aún menor hacia él. Así, que el primer método no es muy efectivo.

Por mucho tiempo se ha predicado el segundo método, la habilidad de elevarse por encima de todo. Pero por desgracia no había ninguna tecnología de la que se pudiera disponer fácilmente para lograrlo.

En las muy remotas regiones del Tíbet, en los monasterios de los lamas, se supone que era posible encontrar una tecnología que, si alguien la practicara durante años, podría superar el sufrimiento y convertirse en un ser sereno.

Pero los pasajes al Tíbet no son baratos, y además el país ha sido devorado por una China superpoblada.

Una cosa es escuchar que habría que elevarse por encima de todo, y es otra muy distinta hacerlo.

Al principio de los años 30, mientras estaba en la escuela de ingeniería, descubrí que el hombre no tenía una tecnología mental adecuada. Antes de eso, en Oriente, había oído hablar de habilidades mentales que no se conocían en Occidente, pero tenían el inconveniente de que requerían demasiado tiempo y se parecían demasiado a los antiguos cuentos en que se convertía plomo en oro. Si subías a una colina en luna llena y ponías un lingote de plomo sobre un tocón fosforescente y decías "abracadabra" el plomo se convertiría en oro, ¡*siempre y cuando* no pensaras la palabra "hipopótamo"!

En fin, vi que el hombre en realidad no tenía una tecnología de la mente, no tenía realmente un verdadero camino de salida.

"En el año de investigación de 1968 a 1969, finalmente fui capaz de trazar un camino que se pudiera recorrer fácilmente a pesar de las drogas; a pesar del punto de partida. Y eso, por supuesto, hizo que fuera más fácil para todos".

Me dedique de manera intermitente a la resolución de este problema y logré algunos avances, hasta que llegó la Segunda Guerra Mundial. Pero después de la guerra, cuando vi a tantos de mis amigos abrumados y derrotados por la vida, aceleré el progreso y para 1950 había desarrollado y publicado Dianética.

Dos años más tarde la investigación se había adentrado en el campo del espíritu humano, del alma, la unidad de vida que llamamos un *thetán,* y nació Scientology.

Después de los avances adicionales que se llevaron a cabo en los diecinueve años subsiguientes a la primera publicación de Dianética, puedo decir que el camino de salida definitivamente está ahí, definitivamente se ha establecido y varios cientos de miles de personas, según una estimación cauta, lo han seguido y se han beneficiado de él.

Pero ustedes ya saben todo eso. No obstante, este año tuvo lugar otro gran descubrimiento.

En 1968 el porcentaje de casos que llegaban a las organizaciones y que habían consumido drogas se elevó por lo menos un 40 por ciento.

El camino de salida es el camino de una mayor consciencia. No es un camino enteramente exento de dolor.

A quienes ya habían tomado el camino descendente se les dificultó el subir de nuevo.

Si aumentaran su consciencia lo suficiente llegarían a un nivel alto en el que serían causa y en el cual no sólo podrían arreglárselas en su entorno, sino también prosperar en él, mucho más allá del alcance del sufrimiento.

¿Pero cómo hacerlos *subir* desde el punto al que ya habían bajado?

En el año de investigación de 1968 a 1969, finalmente fui capaz de trazar un camino que se pudiera recorrer fácilmente a pesar de las drogas; a pesar del punto de partida. Y eso, por supuesto, hizo que fuera más fácil para todos.

Las drogas le hacen cosas extrañas a la mente. Esto hace que sea un poco duro empezar a subir.

El descubrimiento fue, de nuevo, Dianética. Al usar Dianética con el fin de preparar el camino para Scientology, la mayoría de los efectos dañinos de las drogas se pudieron borrar, se pudieron manejar las razones por las cuales la gente empezaba a tomar drogas, y entonces la tecnología superior de Scientology empezó a funcionar con mucha rapidez.

Para darles una idea de la magnitud del descubrimiento, en 1950 algunos casos requerían dos mil horas de Dianética. Con el avance de 1969, cincuenta horas son muchas para conseguir un resultado superior. Además, en 1950 se necesitaban meses para formar a un auditor de Dianética. Con los avances de 1969 esto se ha reducido a dos semanas y media de estudio diario ininterrumpido para una persona inteligente, y no más de tres meses para un estudiante algo lento que estudie sólo unas horas diarias. La nueva Dianética ESTÁNDAR, como se le llama, resuelve todos los casos.

Dianética Estándar usa un E-Metro y un texto estándar y se enseña de una manera muy estándar.

Es interesante que el libro de 1950, *Dianética: La Ciencia Moderna de la Salud Mental,* ahora publicado en una edición en rústica para los quioscos de periódicos, se ha vuelto a colocar y por sí mismo, en la lista de best sellers. Este fue el libro que el jefe de todas las prisiones de Estados Unidos ordenó en 1950 que todos sus alcaides leyeran.

Dianética Estándar es un tema profesional completo que se ha reestructurado para hacer que sea invariablemente útil siempre que se enseñe y se use de manera exacta.

Sería relativamente fácil adquirir el curso completo, estudiar primero el texto de estudio del Curso de Graduado de Dianética Hubbard, conseguir algunos E-Metros y producir Auditores de Dianética Estándar con mínima ayuda externa.

Esto pondría a cualquier grupo decidido en un punto muy avanzado en el camino de salida y sin duda erradicaría los antiguos efectos de las drogas y convertiría al individuo en un ser humano sano y feliz.

Entonces Scientology sería completa y ampliamente eficaz, y sus resultados serían fáciles de conseguir, y serían mucho mayores que los que se hayan alcanzado jamás en el Tíbet.

Me sentiría muy mal si mucha gente buena tuviera que vivir con una obstrucción en su camino. Y no veo ninguna razón verdadera por la que Dianética Estándar, enseñada de este modo, no pueda ser totalmente eficaz.

Como cualquier otra persona, he tenido que aguantar adversidades y sé cómo es eso.

No es tan fácil poder ayudar a nuestros semejantes y recibir ayuda de ellos. Pero el producto final por sí solo vale la pena.

El camino de salida es el camino hacia arriba.

Espero que lo logres.

Mucha suerte.

Ronald Ronald

Narconon Arrowhead en el lago Eufaula, Oklahoma: centro internacional de entrenamiento para el programa de rehabilitación de L. Ronald Hubbard

CAPÍTULO CUATRO

NARCONON

NARCONON
ARROWHEAD

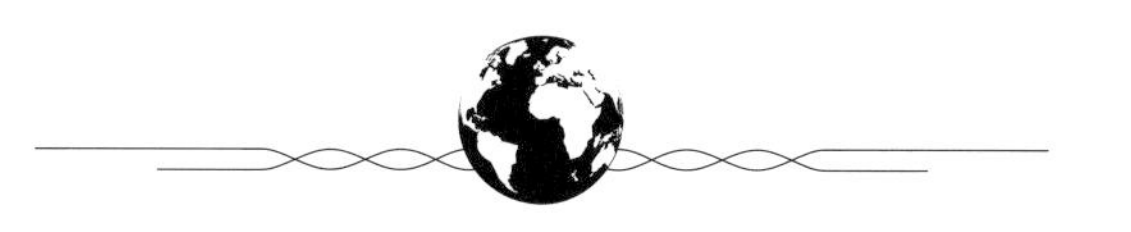

Narconon

ES UNA RED MUNDIAL DE CENTROS DE REHABILITACIÓN QUE exclusivamente utiliza la tecnología de rehabilitación de drogas de L. Ronald Hubbard Acrónimo de *"narcóticos no"*, Narconon comenzó en 1966, cuando un interno de la prisión estatal de Arizona llamado William Benítez encontró un texto básico de Scientology de L. Ronald Hubbard.

Empleando los principios del libro para acabar con una adicción a la heroína que había durado dieciocho años, Benítez organizó un curso piloto con veinte reclusos que intentaban liberarse de adicciones. Poco después, consiguió el permiso y el apoyo de LRH para fundar un programa formal de Narconon. Tras su liberación en 1967 (la cual fue retrasada voluntariamente para poder completar la implementación del programa), Benítez fundó un primer centro con alojamiento en California. A partir de entonces, con el apoyo continuo de L. Ronald Hubbard en particular, y de los scientologist en general, Narconon se convirtió en lo que es hoy: la red de rehabilitación de drogas más eficaz y extendida de la Tierra.

Izquierda El primer programa de Narconon, en la prisión del estado de Arizona, 1966

En pocas palabras, Narconon emplea la serie completa de las tecnologías de L. Ronald Hubbard sobre el síndrome de abstinencia y la rehabilitación. El programa incluye ayudas, procesos objetivos y ejercicios de comunicación, combinados con los complementos nutricionales recomendados para un "Primer Paso" de una desintoxicación rápida y relativamente sin trauma. Con el estudiante capaz de operar en el presente, la desintoxicación comienza mediante el Programa de Desintoxicación de Narconon para una Nueva Vida. Cuando el estudiante se ha librado en gran medida de sus ansias por la droga, se le matricula en los cursos de mejoramiento de la vida. En resumen, estos cursos proporcionan todos los

Izquierda Otra vista de Narconon Arrowhead: las instalaciones ofrecen además entrenamiento e internados para profesionales de la rehabilitación de más de una docena de naciones

SEVERIDAD DE LOS SÍNTOMAS EN CONSUMIDORES DE DROGAS

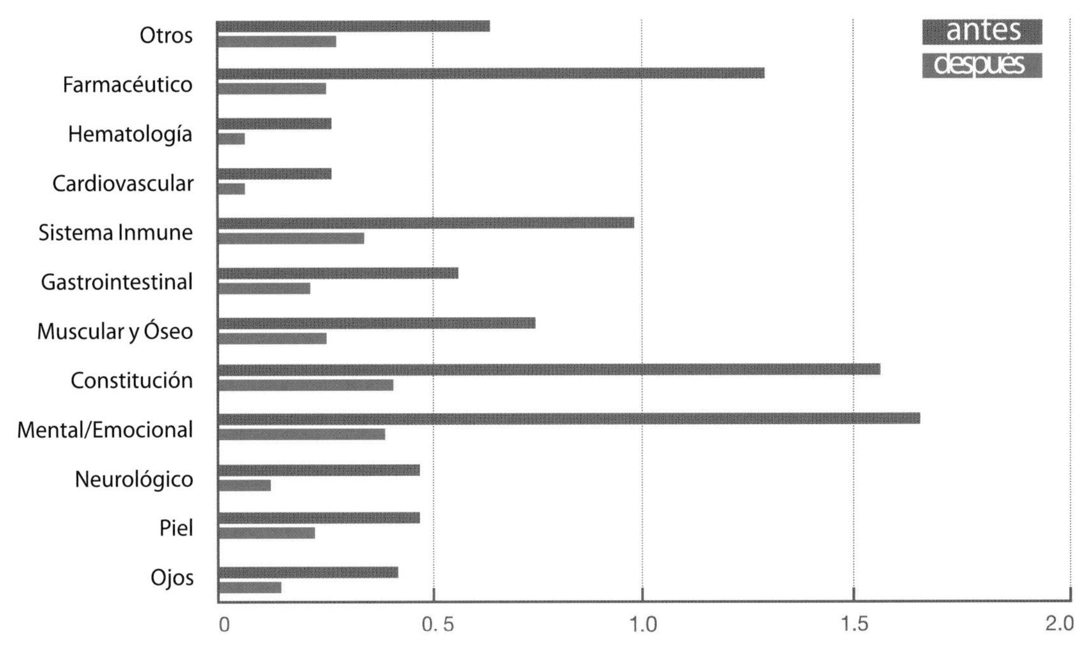

Arriba
Los estudios muestran una considerable reducción de los síntomas de sustancias tóxicas después del Programa de Purificación de L. Ronald Hubbard

conocimientos y herramientas necesarios para poder llevar una vida exitosa, triunfar donde antes se había fracasado y establecer y alcanzar metas que valen la pena, donde antes no las había. El plan de estudio incluye un Curso de Valores e Integridad Personal con el que el estudiante asume la responsabilidad por sus transgresiones pasadas y recupera su autoestima (otro factor crucial en el ciclo de la adicción). También se incluye el Curso de Altibajos en la Vida para identificar y resistirse a quienes podrían incitarlo a una recaída. (El que la adicción esté invariablemente vinculada con contactos criminales y antisociales, es el escollo de muchos programas menos completos, por lo que el graduado de Narconon está completamente a prueba de contactos que podrían llevarlo a reincidir).

Además incluye el código moral de sentido común y una guía para una mejor vida, *El Camino a la Felicidad* de L. Ronald Hubbard. Este folleto despierta el interés de personas de todas las religiones y creencias, y es una potente fuerza contra la drogadicción y la criminalidad en doscientas naciones. De hecho, El Camino a la Felicidad ha tenido una función significativa en cuanto reducir la violencia narcopolítica en Colombia.

Pero lo que genera comentarios en el mundo de la rehabilitación es el programa de Narconon en su totalidad. La Comisión de Acreditación de Centros de Rehabilitación (CARF por sus siglas en inglés: Commission on Accreditation of Rehabilitation Facilities) es una organización independiente de acreditación de EE.UU., es reconocida por entidades gubernamentales y compañías de seguros por igual, y así, determina los estándares aceptables para el campo. No es por nada, entonces, que una evaluación de Narconon hecha por la CARF haya descubierto que ningún otro programa se compara con él. Es decir, cuando se coteja a Narconon con el resto del campo de la rehabilitación: "En términos de resultados (...) está muy por encima".

Estudios europeos equivalentes concluyeron lo mismo. En una España azotada por las drogas (ya que es el principal conducto para el tráfico de drogas a Europa), las tasas de no reincidencia del 20 por ciento son ejemplares. De ahí, el asombro de las evaluaciones independientes españolas cuando encontraron que cerca del 80 por ciento de los graduados de Narconon permanecían totalmente libres de drogas. Los estudios realizados en Suecia también probaron ser inigualables, y en particular si se les compara con las

Curva de Eliminación de Cocaína (caso 1)

Concentración de Drogas (µg/ml)

270, 180, 90

Orina / Sudor

0, 14, 28, 42

Días en el Programa de Desintoxicación de LRH

Curva de Eliminación de Cocaína (caso 2)

10,000, 1,000, 100

Orina / Sudor

0, 4, 8, 12, 16, 20, 24, 28

Días en el Programa de Desintoxicación de LRH

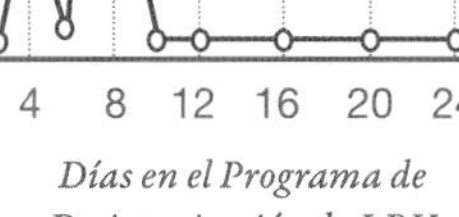

Curva de Eliminación de Valium

160, 140, 120, 100

Orina / Sudor

0, 5, 10, 15

Días en el Programa de Desintoxicación de LRH

tasas generales de rehabilitación que en general tienen un promedio de entre 1.6 y 15 por ciento. Marcando un contraste dramático, estudios posteriores revelaron que el 78.6 por ciento de los que salían de Narconon Suecia seguían libres de drogas después de cuatro años; o sea que prácticamente estas personas fueron curadas.

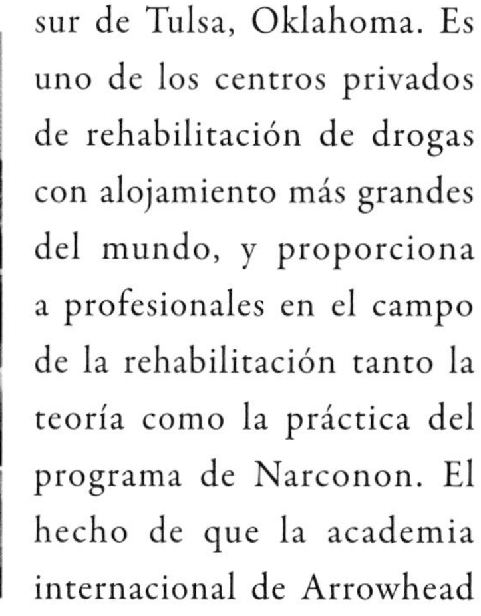

Izquierda
El régimen de cursos de rehabilitación de destrezas para la vida de L. Ronald Hubbard evita que los antiguos consumidores vuelvan a usarlas

Se podrían mencionar muchos más casos: el resultado de los estudios del programa de Narconon dirigido a los delincuentes juveniles han revelado que casi el 90 por ciento de quienes completaron el programa continuaron con un vida sin cometer delitos. Narconon además ha ganado la reputación singular de curar a adictos se habían considerado incurables y que ninguna otra organización privada se atrevería a tocar. Pero sin importar cómo se evalúe el éxito de Narconon, no es muy difícil de apreciar. "Este programa merece la atención del campo de la rehabilitación –escribe el inspector principal de la CARF– y yo recomendaría que otros profesionales estudiaran este programa único".

Exactamente para ese propósito (proporcionar el programa de Narconon a otros que se dedican a la rehabilitación) existe el centro de entrenamiento de Narconon Arrowhead junto al lago Eufaula, unos 120 kilómetros al sur de Tulsa, Oklahoma. Es uno de los centros privados de rehabilitación de drogas con alojamiento más grandes del mundo, y proporciona a profesionales en el campo de la rehabilitación tanto la teoría como la práctica del programa de Narconon. El hecho de que la academia internacional de Arrowhead admita además a personas no profesionales en el campo, hace notar otro hecho crucial acerca del programa de Narconon: la incomparable tasa de éxito de Narconon no depende de alguna "maña" indeterminada adquirida durante años de tanteos. Más bien, el éxito proviene de la codificación de L. Ronald Hubbard de un régimen de rehabilitación que hace frente a todos los factores mentales y fisiológicos clave en la adicción a

Narconon Arrowhead: estandarte de la red mundial de Narconon, es una finca de 216 acres cerca de las plácidas orillas del lago Eufaula en el este de Oklahoma

las drogas. Por otra parte, ese régimen puede aprenderse rápidamente y es fácil de implementar y administrar a personas adictas en diversos escenarios: centros privados con alojamiento o sin él, establecimientos comunitarios y centros penitenciarios.

A finales de la década de los 90 un graduado del centro de formación internacional de Narconon inició el programa dentro de una de las prisiones más notorias de México. Era un lugar donde el consumo de heroína por parte de los reclusos ascendía a más del 90 por ciento, y contaba con un espacio adyacente a la letrina principal donde a los reclusos se les permitía drogarse. La violencia era también bastante endémica, pues con una población que se describía como sólo técnicamente viva, nadie tenía mucho que perder. Sin embargo, literalmente en el centro de dicha institución, Narconon estableció unas instalaciones para la desintoxicación y rehabilitación; con todo y saunas y salas de curso. Inmediatamente después de superar la primera fase, todos los participantes estaban libres de drogas y el consumo de heroína en áreas cercanas a las celdas se redujo en un 80 por ciento.

Los resultados también fueron contundentes en un centro juvenil Utah que utilizó los métodos de Narconon con los internos cuyas ofensas se relacionaban con las drogas.

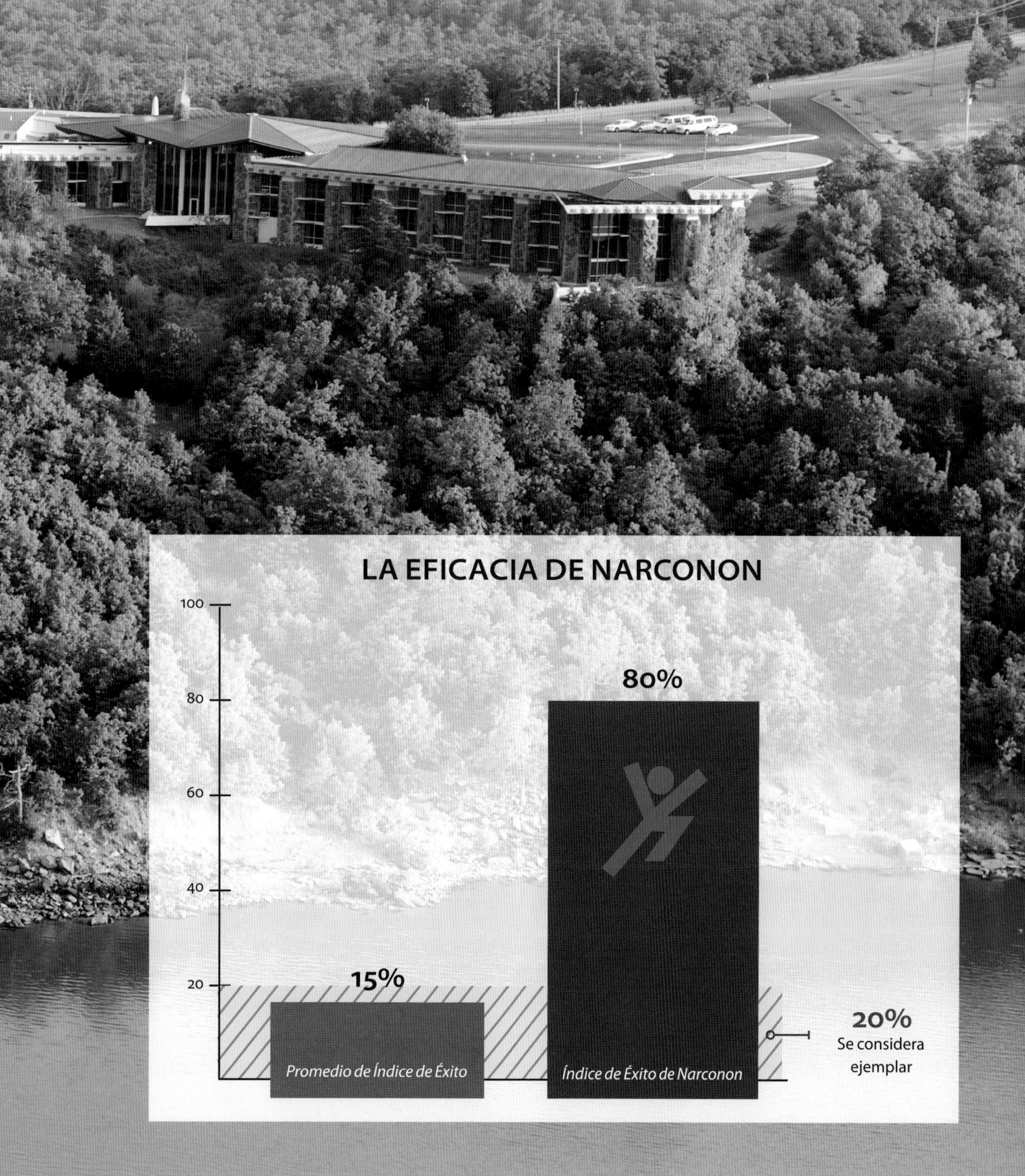
LA EFICACIA DE NARCONON
100
80
60
40
20
80%
15%
Promedio de Índice de Éxito
Índice de Éxito de Narconon
20%
Se considera
ejemplar

Descripción de los Cursos de Narconon

Retirada sin el uso adicional de drogas. El primer paso del programa de Narconon. Ayuda al individuo a dejar rápidamente de consumir las drogas que ahora consume con un mínimo de incomodidad, mediante un régimen desarrollado por L. Ronald Hubbard de ayudas, procesos objetivos, nutrición adecuada y cuidado por parte de un miembro del personal experimentado de Narconon.

Curso de Narconon de Aprender Cómo Aprender. Proporciona a los estudiantes las aclamadas herramientas de aprendizaje y de alfabetización de L. Ronald Hubbard para lograr un incremento dramático en la comprensión y retención de conocimiento. Armados con estas herramientas, los estudiantes pueden avanzar a niveles educativos más avanzados para llevar una vida más ética y productiva.

El Curso de los Fundamentos de la Comunicación de Narconon. Emplea ejercicios desarrollados por L. Ronald Hubbard para extrovertir a los estudiantes, permitiendo que se enfrenten a la vida cómodamente y resuelvan los problemas mediante la comunicación.

Purificación y Desintoxicación de Narconon. Limpia el cuerpo de los residuos de drogas y otras sustancias tóxicas mediante un régimen de ejercicio, sauna y complementos nutricionales. Este paso elimina con eficacia los residuos de drogas que activan el deseo de consumirlas y causan estragos emocionales.

Curso de Percepción y Orientación de Narconon Pone al estudiante en comunicación con otros y con el entorno. Extrovierte a los estudiantes de los recuerdos perturbadores relacionados con las drogas y libera la atención fija, permitiendo que observen el mundo a su alrededor, a menudo por primera vez en años.

Curso de Altibajos de Narconon. Proporciona a los estudiantes la capacidad de localizar y manejar a las personas en su entorno que de lo contrario les harían perder lo que han ganado y volver a consumir drogas. En pocas palabras, los estudiantes obtienen una nueva estabilidad frente a las influencias destructivas y aprenden a escoger a sus amigos y asociados con más sensatez.

Curso de Valores e Integridad Personal de Narconon. Utiliza otro conjunto de las herramientas de L. Ronald Hubbard. Los estudiantes ganan un conocimiento profundo muy valioso sobre la ética personal, la honestidad y la integridad. Aprenden lo que significa asumir responsabilidad por las transgresiones, liberándose así de los efectos dañinos de sus actos dañinos del pasado. También adquieren la capacidad para corregir de inmediato un comportamiento contrario a la supervivencia.

Curso de Las Condiciones de la Existencia de Narconon. Enseña a los estudiantes a aplicar paso a paso los procedimientos de L. Ronald Hubbard para mejorar en todas sus actividades, esfuerzos y relaciones. Con esta tecnología, los estudiantes pueden reafirmar su autodeterminismo y a trazar un curso de supervivencia en la vida.

Curso de El Camino a la Felicidad de Narconon. Se realiza usando en el código moral no religioso y basado en el sentido común de L. Ronald Hubbard que se presenta en El Camino a la Felicidad. Esto curso proporciona a los estudiantes una guía para vivir de manera que puedan alcanzar la verdadera felicidad y su conducta los lleve a una mayor supervivencia para todos. ■

Cincuenta y siete centros de Rehabilitación de Drogas de Narconon para una Vida Nueva en treinta y cuatro naciones

Fue administrado por los mismos funcionarios que supervisan el centro. De inmediato logró un éxito superior a lo imaginable y como dijo un juez de un tribunal para menores: "Desde mi punto de vista es increíble ver la transformación que se produce en poco tiempo en los rostros de los jóvenes y de sus padres". En consecuencia, son cada vez más los casos en que los tribunales mandan a los adictos a Narconon y no a la cárcel.

"... el problema de la drogadicción es definitivamente un problema de la mente y del espíritu, y no se puede resolver por completo a menos que se aborde como tal".

Hay mucho más de esto en otros lugares. Narconon Nepal fue originalmente fundado por un policía veterano que ya se había cansado de arrestar a los drogadictos. Las graduaciones cuentan con la asistencia de dignatarios del estado Nepalés y una famosa montaña local recibió el nombre de "Pico Hubbard" en honor a L. Ronald Hubbard. Narconon Nepal también es famoso por evitar el uso de drogas a través de educación. Otra especialidad de Narconon es presentar honestamente "la verdad sobre las drogas" a través de conferencias a los jóvenes en riesgo. Por consiguiente, el equipo de Narconon Nepal se dirige a las escuelas de Katmandú en forma masiva y hasta la fecha millones de niños han sido informados; lo que ha tenido como resultado la disminución de crímenes relacionados con las drogas.

Y para reiterar la observación crucial de L. Ronald Hubbard: "Sí existe la personalidad propensa a las drogas. Es artificial y es causada por las drogas". También es intrínsecamente improductiva, antisocial y puede ser la causa de actos de violencia extrema. En consecuencia, no es por nada que los asesores veteranos en el campo de la drogadicción prolongada hablen de la participación en programas de Narconon donde los graduados muestran un cambio tan pronunciado que ellos se preguntan si no se han equivocado al creer que están frente a un ex adicto a la heroína. Además, tan marcado es el

TRATABA CON DROGAS

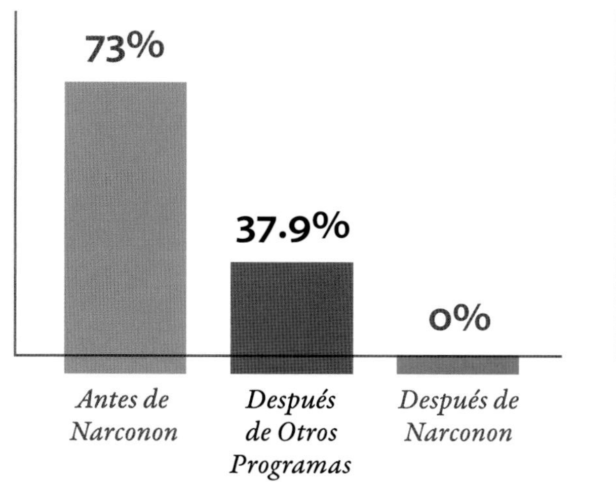

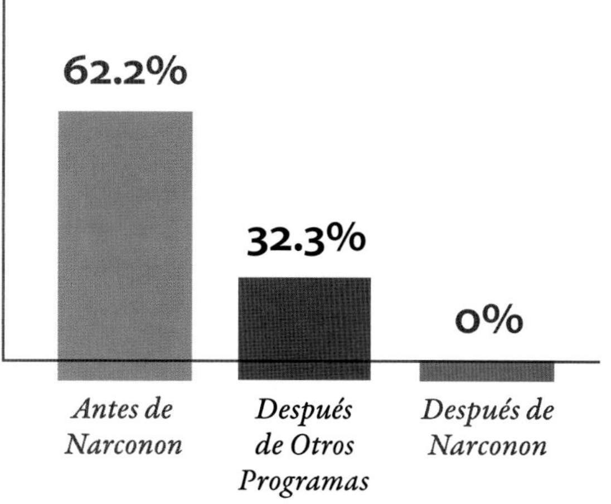

cambio físico, la nitidez de los ojos, la mejoría en el tono de la piel, que los padres de familia frecuentemente mencionan que apenas si reconocen a sus hijos e hijas que antes eran adictos. Por otra parte, está todo lo que sigue con los pasos subsiguientes del programa de Narconon, lo cual probablemente lo expresan mejor los propios graduados del programa: "No sólo he reencontrado la vida, sino que también me he reencontrado a mí mismo".

Francamente, sólo es cuestión de cuán rápida y ampliamente se utilicen los métodos de rehabilitación de L. Ronald Hubbard, para saber lo que tales declaraciones representan para una crisis de drogas pandémica. Pues, independientemente de la forma en que se evalúen las evidencias, el hecho es que la mitad de los que entran en Narconon antes ya habían buscado tratamiento en centros médicos públicos y privados. Algunas de ellas lograban éxitos temporales. Otras, empleando drogas psiquiátricas sustitutivas, sólo agravaban el problema. Pero de cualquier manera, los que han dejado las drogas con Narconon normalmente describen a L. Ronald Hubbard como el mejor amigo que han tenido. Y en caso de que se les desafíe en su declaración, preguntarán a su vez al que los desafía: *¿Tienes idea de cómo se siente estar libre de una adicción de veinte años?* ■

Algunos de los muchos miles de reconocimientos otorgados a L. Ronald Hubbard por su tecnología de rehabilitación de drogas.

Proclamation
DETOX 83
Proclamation
THE LONDON INDEPENDENT LOCALS LTD. ANNUAL AWARD
FOR SERVICES TO THE COMMUNITY
PRESENTED IN RECOGNITION OF
L. RON HUBBARD
& HIS DISCOVERIES IN THE FIELD OF DRUG REHABILITATION
A L. RON HUBBARD
CON PROFONDO
RICONOSCIMENTO
PER L'AIUTO DATO
AD ALBERTO
CELESTINI
I GENITORI

Epílogo

"Vivimos en una sociedad bioquímica", escribió L. Ronald Hubbard, y el problema sólo se está agravando. Pues al haber aceptado el consumo de drogas tras la promoción del control emocional y del comportamiento, estamos bastante fuera de control. Y sin lugar a dudas, el consumidor de psicotrópicos representa un aspecto no menos importante del problema que los adictos a drogas ilegales. Pues con ni más ni menos que miles de millones de dólares gastados en campañas farmacéuticas dirigidas a sectores de la población cada vez más grandes, el consumo de medicamentos recetados es tan generalizado que es casi un estilo de vida... una forma lenta de morir.

Así que no perdamos de vista las respuestas que se presentan en este documento. Porque a menos que comprendamos y hagamos frente a lo que las drogas han causado, esta sociedad se consumirá en una conflagración bioquímica. No olvidemos también que cuando se habla de la solución que aporta L. Ronald Hubbard que uno está hablando de algo que se aproxima mucho más a la médula del problema de lo que se aproximan el aumentar las fuerzas policíacas, el volver más rígidos los reglamentos o el aumentar la severidad de las etiquetas de advertencia. En lugar de eso, y de manera muy simple: "Uno le está ofreciendo su vida a la persona".

"Puede que hayas notado que la sociedad va rápidamente de mal en peor. La inflación, la escasez de combustible e incluso la guerra proyectan unas oscuras sombras sobre el mundo. Y lo más serio de esto es que las drogas, tanto las médicas como las callejeras, han incapacitado a la mayoría de aquellos que podrían haber resuelto esta situación, incluyendo a los líderes políticos, e incluso han paralizado a las generaciones venideras".

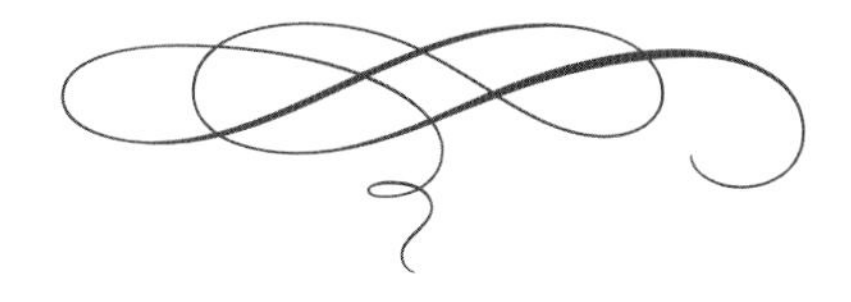

APÉNDICE

GLOSARIO

A

aceite: líquido graso que se obtiene de las semillas de las plantas, de grasas animales, de depósitos minerales y de otras fuentes, que es más espeso que el agua y no es soluble en ella. Los aceites pueden disolverse y descomponerse en otros aceites. Por lo tanto, el aceite que se introduce al cuerpo puede usarse para reemplazar al aceite de mala calidad que hay en el cuerpo. Pág. 39.

ácido: otro término para el *LSD. Véase también* **LSD.** Pág. 11.

ácido lisérgico: la droga LSD, una abreviatura para el nombre químico *dietilamida de ácido lisérgico. Véase también* **LSD.** Pág. 13.

aclamado: que recibe voces o aplausos de aprobación o entusiasmo de una multitud. Pág. 1.

acreditación: acción de reconocer oficialmente a una persona u organización por haber cumplido con un estándar o criterio. Pág. 76.

acumulativo: que aumenta en efecto, tamaño, cantidad, etc. Pág. 40.

adicción: condición de tomar drogas dañinas y ser incapaz de dejar de tomarlas. Pág. 1.

adiposo, tejido: tipo de tejido corporal que contiene grasa almacenada que sirve como fuente de energía, también amortigua y aísla a los órganos vitales. Pág. 4.

aditivo: sustancia que se agrega directamente a los alimentos durante su procesamiento, como por ejemplo, para su conservación o para cambiar su textura o su color. Pág. 29.

adverso: contrario, desfavorable. Pág. 31.

Agencia Internacional para la Investigación sobre el Cáncer: parte de la Organización Mundial de Salud que intenta identificar las causas del cáncer para poder adoptar medidas preventivas. Pág. 56.

Agente Naranja: el nombre militar en clave para una poderosa sustancia química que destruye las plantas y la maleza; la usaron las fuerzas armadas de Estados Unidos durante la década de 1960 y principios de la década de 1970 en la Guerra de Vietnam. Llamado así por la franja de color naranja que tenían sus recipientes. El Agente Naranja se usaba para privar de sus hojas a los árboles y las plantas, y para acabar con las cosechas en las junglas y en las granjas de Vietnam del Sur y de Laos, un país del sureste asiático. Esto servía para revelar los lugares donde se ocultaba el enemigo y destruir sus fuentes de alimentos. El Agente Naranja contenía dioxina, una sustancia altamente venenosa. Se cree que los diferentes problemas de la salud que afectaron a soldados estadounidenses y a otros militares en Vietnam fueron el resultado de la exposición a la dioxina en el Agente Naranja. Pág. 28.

agotar: eliminar algo completamente, como de una zona o región donde había estado. Pág. 65.

agravante: característica definida por la ley, que aumenta la severidad de un crimen, tal como la intención del criminal o la vulnerabilidad especial de la víctima. Pág. 30.

agrícola: relacionado con la *agricultura* la labranza o cultivo de la tierra. Pág. 38.

alcaide: persona a cargo de la custodia de los presos. Pág. 38.

alergia: condición en la cual una persona tiene una sensibilidad inusual a una sustancia que normalmente es inocua, y que al respirarla, ingerirla o ponerla en contacto con la piel, provoca una reacción fuerte en el cuerpo de la persona. Pág. 52.

aliviar: hacer más leve o disminuir el dolor, severidad, etc., de algo. Pág. 4.

Alpert, Richard: una de las primeras personas que experimentó con drogas alucinógenas; desde su posición como profesor de psicología en la Universidad de Harvard difundió el mito de los beneficios de las drogas. En visitas posteriores a la India, se involucró en la filosofía oriental, cambió su nombre a Ram Dass y escribió libros sobre misticismo. Pág. 12.

alquitrán de hulla: líquido espeso, negro y pegajoso que se produce al procesar el carbón. Los compuestos del alquitrán de hulla se usan para hacer tintes, drogas, explosivos, saborizantes de alimentos, perfumes, etc. Pág. 39.

alterar la mente: causar cambios pronunciados en el estado de ánimo, las percepciones, el comportamiento o las pautas de pensamiento. Pág. 37.

alucinación: percepción de objetos sin realidad y sensaciones sin causa externa; percepción aparente (usualmente a través de la vista o el oído) de un objeto externo cuando ese objeto no está presente en realidad. La causa de esta condición son las drogas o una enfermedad severa. Pág. 47.

alucinógeno: característico de los *alucinógenos,* un tipo de drogas naturales o sintéticas que producen alucinaciones y una distorsión marcada de los sentidos. También se sabe que los alucinógenos conducen a pensamientos antisociales, desorientación y confusión, y en general producen síntomas de demencia severa. *Véase también* **alucinación.** Pág. 12.

ambiguo: que tiene varios significados o interpretaciones. Pág. 62.

anfetamina: cualquiera de un grupo de drogas poderosas que crean dependencia llamadas *estimulantes;* afectan al sistema nervioso central (el cerebro y la médula espinal), aumentan la frecuencia cardiaca y la presión arterial y reducen la fatiga. Cuando pasan los efectos de la anfetamina, la persona siente agotamiento y depresión. Su uso repetido puede causar serios problemas mentales. Pág. 1.

ansiedad: sensación de preocupación o nerviosismo, en especial acerca de algo que está a punto de ocurrir. Pág. 31.

antidepresivo: nombre que se da a una clase de drogas que prescriben los psiquiatras y los médicos como una solución para la "depresión", lo que ha llegado a abarcar una amplia gama de síntomas, desde la pérdida de apetito hasta la fatiga. Los antidepresivos amortiguan las emociones y a menudo producen un intenso estado de agitación. Algunos efectos colaterales incluyen mareo, desmayos, dolores de cabeza severos, aumento en la presión sanguínea, dificultad para dormir e interferencia con la función sexual, y además pensamientos y comportamiento homicida y suicida. Pág. 2.

antídoto: sustancia que impide o contrarresta efectos dañinos o indeseados. Pág. 10.

anti-gas nervioso: sustancia que tiene el propósito de contrarrestar los efectos del *gas nervioso,* cualquiera de las diferentes sustancias químicas venenosas que pueden inhalarse o absorberse a través de la piel, lo que causa parálisis, especialmente en el sistema respiratorio, y provoca la muerte. Se ha demostrado que las sustancias anti-gas nervioso son dañinas para el cuerpo cuando varias de ellas se usan al mismo tiempo, una práctica que era común durante las operaciones militares en el Golfo Pérsico. Pág. 28.

Apollo: desde finales de la década de 1960 hasta mediados de la década de 1970, las actividades de la dirección superior de todas las iglesias de Scientology de todo el mundo se llevaban a cabo desde una flota de barcos, y el barco principal era el *Apollo.* Esta nave de 110 metros de largo también fue el hogar de L. Ronald Hubbard y fue el centro de sus muchas actividades de investigación. Pág. 14.

arsénico: elemento químico blanco y quebradizo que es muy venenoso. Se utiliza en una gran gama de productos, desde el vidrio y el plomo hasta en gases venenosos de uso militar e insecticidas. Comúnmente es letal en dosis altas, pero el inhalar sus gases y polvos repetidamente también puede ser fatal ya que estos se acumulan en el cuerpo. Pág. 35.

asbesto: mineral que solía usarse en la industria de la construcción hasta que se descubrió que causaba ciertos tipos de cáncer. Se ha utilizado como aislante y como material incombustible porque tiene propiedades resistentes al calor. Pág. 38.

aspecto: un lado o parte de algo; una faceta, fase o parte de un todo. Pág. 4.

atmósfera superior: parte de la atmósfera (mezcla de gases que rodea a la Tierra) que se encuentra más elevada que su capa más cercana a la superficie; es la atmósfera que está a más de 16 kilómetros de la superficie de la Tierra. Pág. 40.

atómico: relacionado con la energía atómica que se produce cuando se divide la parte central de un átomo (núcleo). Entonces las partes del núcleo golpean otros núcleos (centros de los átomos) y hacen que se dividan, creando así una reacción en cadena acompañada de una gran liberación de energía. Las bombas atómicas, como las que se usarían en una guerra atómica, producen energía atómica. Existe otra forma de energía atómica que se encuentra en las plantas nucleares. Aunque la energía se usa para propósitos útiles, puede ser muy peligrosa para quienes trabajan en estas plantas, si ocurre un fuga. Un ejemplo de una explosión en una planta nuclear es la que ocurrió en Chernobyl, Ucrania, en 1986, en la que un generador atómico explotó y lanzó al aire desechos radioactivos a un kilómetro a la redonda, y el viento llevó polvo radioactivo a zonas tan lejanas como Suecia. Pág. 40.

atrofia: reducción o debilitamiento de algún órgano o parte del cuerpo, usualmente debido a una lesión, enfermedad o falta de uso. Pág. 36.

auditación: aplicación de las técnicas de Dianética y Scientology (llamadas *procesos*). Los procesos se enfocan directamente en incrementar la capacidad del individuo para sobrevivir, incrementar su cordura o capacidad para razonar, su capacidad física y su capacidad de disfrutar de la vida en general. También se le llama procesamiento. Pág. 61.

auditor: persona que ejerce Dianética o Scientology; la palabra *auditor* significa "alguien que escucha, oyente". Pág. 61.

autodeterminismo: la condición de ser *autodeterminado,* tener poder de elección y la capacidad para dirigirse a sí mismo o determinar sus acciones . Pág. 81.

autopsia: examen médico de un cadáver para establecer la causa y circunstancias de su muerte. Pág. 44.

axiomático: evidente por sí mismo; obviamente cierto. Pág. 20.

ayuda: proceso que puede hacerse para aliviar una molestia de tiempo presente y ayudar a la persona a recuperarse con mayor rapidez de una lesión o enfermedad. Un *proceso* es un conjunto de preguntas u órdenes que da un auditor de Scientology o Dianética para ayudar a la persona a averiguar cosas acerca de sí misma o de la vida y mejorar su condición. Pág. 75.

azote: algo que causa grandes dificultades o sufrimiento. Del significado literal de *azote*, látigo que se usa como instrumento de castigo. Pág. 50.

B

B_1: vitamina que se encuentra en los guisantes, los frijoles, la yema del huevo, el hígado y la cubierta exterior de los cereales. Ayuda a la absorción de los carbohidratos y hace posible que los carbohidratos liberen la energía necesaria para la función celular. Un *carbohidrato* es una de las tres principales clases de alimentos (los otros son las grasas y las proteínas) que proporcionan energía al cuerpo. Pág. 37.

barbitúricos: cualquiera de un grupo de medicamentos utilizados en medicina para calmar a la gente o inducir sueño. Pág. 11.

benceno: líquido tóxico derivado del petróleo que tiene un olor particular y que a menudo se usa en la fabricación de colorantes y sustancias químicas industriales. El inhalar vapores de benceno es perjudicial al cuerpo. Puede dañar la medula ósea (de los huesos), la cual produce las células de la sangre, y en esa forma causar leucemia. Pág. 56.

bidón: recipiente cilíndrico que se destina al transporte de líquidos o de sustancias que requieren aislamiento. Pág. 39.

bifenilo polibromado: también llamado *PBB,* compuesto químico altamente tóxico que se usa como retardante de fuego y en la fabricación de plásticos. Pág. 28.

bifenilo policlorado: también llamado *PCB,* compuesto químico sumamente tóxico. Desde la década de 1930, los PCBs se han usado ampliamente en aislantes eléctricos, retardantes de fuego, refrigerantes para equipo eléctrico, la fabricación de plásticos y muchas otras aplicaciones industriales. Desde finales de la década de 1970 se prohibió la nueva producción de PCBs, pero la contaminación persiste, ya que la sustancia no se descompone con facilidad. Se sabe que los PCBs causan enfermedades de la piel y se sospecha que ocasionan defectos congénitos y cáncer. Pág. 28.

biofísico: relacionado con la aplicación de métodos para mejorar la capacidad de una persona para manejar su cuerpo y su entorno. Pág. 49.

bioquímica: propiedades, reacciones y fenómenos químicos de la materia viva. Pág. 43.

bioquímico: **1.** Interacción entre los seres vivos y las sustancias químicas. *Bio* significa vida; los seres vivos. Del griego *bios,* vida o forma de vida. Químico significa relacionado con sustancias químicas, simples o compuestas, que forman la materia. Pág. 1.
2. Persona entrenada en las técnicas de la bioquímica. *Véase también* **bioquímica.** Pág. 52.

Bluebird (Pájaro Azul), Chatter (Parloteo), Artichoke (Alcachofa): serie de programas de control mental que se usaron en Estados Unidos de 1947 a 1953. Chatter (Parloteo) (1947–1953) era un programa de la Marina de Estados Unidos que se concentraba en identificar y hacer pruebas relacionadas con drogas en interrogatorios y en el reclutamiento de agentes. Bluebird (Pájaro Azul) era un programa de control mental de la CIA establecido en 1950, que se concentraba en interrogatorios, modificación del comportamiento y temas relacionados. Se le renombró Artichoke (Alcachofa) en 1951 y fue remplazado por MKULTRA. *Véase también* **MKULTRA.** Pág. 10.

boletín: referencia a un *Boletín del Auditor Profesional,* uno de una serie de publicaciones escritas por L. Ronald Hubbard entre el 10 de mayo de 1953 y el 15 de mayo de 1959. Los boletines incluían los avances técnicos más recientes en Dianética y Scientology, procedimientos y publicaciones técnicas más recientes. Pág. 12.

Bowart, Walter: Walter Bowart Howard (1939–2007), autor del libro *Operation Mind Control (Operación Control Mental),* un informe de investigación publicado en 1978 que detalla los programas por parte del gobierno para el control de la mente a través del uso de drogas como el LSD, la modificación del comportamiento, la hipnosis y temas similares. Pág. 11.

BZ: nombre en clave para un arma química fabricada a partir del *ácido bencílico,* una sustancia química relacionada con el benceno. Cuando se inhala el BZ produce efectos físicos y mentales que incapacitan a la persona. Pág. 13.

C

campo de concentración nazi: referencia a la práctica de realizar experimentos médicos en los prisioneros, en los campos de concentración de la Alemania Nazi durante la Segunda Guerra Mundial (1939–1945). Los *campos de concentración* eran un tipo de prisiones establecidas para el confinamiento y la persecución de judíos, oponentes políticos, disidentes religiosos, etc. En dichos campos, además del exterminio masivo de prisioneros, a miles de personas se les sometió a experimentos "médicos" inhumanos y sumamente ofensivos. *Véase también* **nazi.** Pág. 10.

cáncer: enfermedad grave en el que las células del cuerpo de una persona aumentan con rapidez y de forma incontrolada, produciendo tumores anormales. Pág. 39.

cardiovascular: relacionado con el corazón y los vasos sanguíneos. Pág. 76.

carga: energía mental dañina acumulada en la mente que puede afectar a una persona, por ejemplo, con sentimientos de enojo, miedo, pesar, apatía y otros similares. Pág. 64.

cartel: grupo de mafiosos (miembros de una banda de criminales) que controlan el crimen organizado o un tipo de delito, especialmente en una región de un país. Pág. 13.

caso: **1.** Cualquier individuo o asunto que requiere observación, estudio, investigación oficiales o formales o que está siendo sometido ellos. Pág. 17.
2. Término general para una persona a la que se está tratando o ayudando. También se usa para referirse a toda la acumulación de trastornos, dolor, fracasos, etc., que residen en la mente reactiva de una persona. Pág. 9.

catalítico: que causa un aumento en el nivel de una reacción química por el uso de un *catalizador. Véase también* **catalizador.** Pág. 52.

catalizador: sustancia que acelera o retarda una reacción química sin participar en ella. Pág. 50.

categóricamente: que se afirma o se niega sin restricción ni condición. Pág. 66.

celular: que se relaciona con, o consiste en células vivas (la unidad estructural más pequeña de un organismo). Cada segundo del día, millones de células del cuerpo humano mueren y son remplazadas por células nuevas, como parte esencial del ciclo normal de la actividad celular. Pág. 34.

censurar: expresar fuerte desaprobación o criticar abiertamente a alguien o a algo; condenar abiertamente. Pág. 5.

chapado de metales: aplicar una capa de metal sobre otro. Pág. 38.

CIA: Agencia Central de Inteligencia (Central Intelligence Agency), una oficina del Gobierno de Estados Unidos creada en 1947. El propósito de la CIA es obtener información y dirigir operaciones secretas para proteger la seguridad nacional del país. Pág. 10.

cíclico: que pertenece a un ciclo o ciclos, o se caracteriza porque vuelve a ocurrir en ciclos. Un *ciclo* es un periodo durante el que ocurre una característica, un acontecimiento que se repite regularmente o una secuencia de acontecimientos. Pág. 28.

científico social: persona que estudia las *ciencias sociales* las cuales estudian a las personas en la sociedad y la forma en que los individuos se relacionan entre sí. Pág. 21.

cinco dólares el viaje: cantidad pagada (cinco dólares) por un *viaje,* la cantidad de droga narcótica que se usa a la vez. Pág. 15.

circulación: movimiento de la sangre por el cuerpo. Pág. 42.

cocaína: poderosa droga estimulante y altamente adictiva que actúa en el sistema nervioso central (el cerebro y la médula espinal), aumenta el ritmo cardiaco y la presión sanguínea mientras reduce la fatiga. Debido a que la cocaína puede causar adicción y efectos secundarios peligrosos, es ilegal en muchos países. Pág. 1.

cociente: grado o cantidad de una cualidad específica. Pág. 31.

codeína: droga que se obtiene del opio y se usa como analgésico o sedante y para aliviar la tos. El *opio* es una droga adictiva que se prepara con el jugo de la adormidera. Pág. 44.

cognitivo: perteneciente o relativo a los procesos mentales de la percepción, la memoria, el juicio y el razonamiento. Pág. 65.

"colgado": se refiere a una situación en la que una persona ha perdido consciencia de su entorno inmediato, de sus preocupaciones o dificultades, por soñar despierto o haber tomado drogas. Pág. 14.

colitis: inflamación del colon, que se caracteriza por diarrea, fiebre, espasmos de los intestinos y calambres en el abdomen. Pág. 52.

"colocado": distraído, aturdido, confuso o mareado por el uso de drogas o como si las hubiera usado. Pág. 14.

Colorado: estado del oeste de Estados Unidos. Pág. 31.

complejo B: grupo de vitaminas que se encuentran en la levadura, los cereales, las nueces, los huevos, el hígado y algunos vegetales. Las vitaminas del complejo B incluyen las vitaminas B_1, B2, niacina (vitamina B3), B6 y B12 y otras, que ayudan a procesar los carbohidratos. Pág. 50.

complementar: (dicho de la dieta) mejorarla añadiendo una o más sustancias que tienen valor nutricional especial para corregir una deficiencia. Pág. 45.

complemento: algo que se añade a otra cosa para mejorarla o completarla, como los complementos vitamínicos que se toman además de lo que uno come normalmente. Pág. 50.

compuesto: formado de varias partes o elementos. Pág. 14.

compuesto (químico): sustancia que está formada por dos o más partes en proporciones exactas. Pág. 10.

concentraciones de casos de cáncer: número excesivo de casos de cáncer entre cierto grupo de personas en una zona geográfica durante cierto periodo. Las pruebas atmosféricas de armas nucleares en la Zona de Pruebas de Nevada durante la década de 1950 y principios de la década de 1960, creó una lluvia radioactiva en la atmósfera que fue la causa de una incidencia más alta de casos de cáncer durante los años siguientes. *Véase también* **lluvia radioactiva** y **Nevada.** Pág. 50.

condado de Dade, Florida: condado en el extremo sur de *Florida,* estado en el sudeste de los Estados Unidos, que es principalmente una península entre el océano Atlántico y el Golfo de México. El condado, también llamado Miami–Dade, es también el área metropolitana de su principal ciudad, Miami, un importante puerto marítimo y centro turístico. Pág. 30.

condicionamiento: acción de hacer que alguien se acostumbre a algo; hacer que alguien se adapte (a una situación, tratamiento, medio ambiente, etc., en particular). Pág. 11.

conflagración: algo que lo consume todo, como un incendio grande y desastroso. Pág. 87.

conmemorativo: que honra o mantiene viva la memoria de una persona importante. Pág. 57.

conservador: sustancia química que se usa para evitar que los alimentos se echen a perder. Pág. 27.

constitución: relacionado con el estado físico o mental de una persona. Pág. 76.

consumo: acción de introducir algo (como una droga, alimento o líquido) al organismo tragándolo, inhalándolo, o absorbiéndolo. Pág. 1.

contaminante: sustancia que ensucia o daña la tierra, el aire, el agua, etc., lo que causa que dejen de ser agradables o que no sea seguro usarlos. Pág. 4.

contracultura: se relaciona con una cultura cuyos valores y moral se oponen a los de la sociedad establecida. Pág. 12.

correlativo: que tiene una relación mutua o complementaria. Pág. 27.

corteza cerebral: materia gris exterior del cerebro, que se relaciona con funciones como el movimiento voluntario, la coordinación de la información sensorial, el aprendizaje y la memoria. Pág. 15.

cosmopolita: referido a una ciudad, que acoge residentes y actividades de diversa procedencia cultural o étnica. Pág. 14.

cristal: formaciones pequeñas e irregulares de un material; aquí se usa de manera específica para referirse a los pequeños depósitos de LSD (o cualquier droga similar) que se almacenan en los tejidos del cuerpo. Pág. 47.

cromo: metal duro utilizado para aumentar la dureza y resistencia a la corrosión en otros metales. Algunos compuestos de cromo son tóxicos para los pulmones y pueden producir cáncer. Pág. 56.

cuadros de imagen mental: cuadros tridimensionales a color, con sonido, olores y todas las demás percepciones, además de las conclusiones o especulaciones del individuo. Son copias mentales de las percepciones en algún momento del pasado. Pág. 40.

curva de eliminación: la representación gráfica de los cambios que se producen durante un periodo (curva) en lo relacionado con la eliminación de drogas o sustancias químicas del cuerpo. Pág. 77.

D

DEA (Drug Enforcement Agency): agencia del gobierno de Estados Unidos establecida en 1973 al fusionar las cuatro agencias encargadas de hacer cumplir la legislación relacionada con las drogas. Es responsable de hacer cumplir las leyes relacionadas con los narcóticos y otras drogas peligrosas. Pág. 3.

década de los años 20: periodo de la década de 1920, en que los jóvenes estadounidenses adoptaron un estilo de vida caracterizado por un comportamiento o costumbres vigorosas y desenfrenadas. Las jóvenes se cortaban el pelo y llevaban faldas cortas. Los lugares favoritos eran clubs nocturnos donde los jóvenes bebían licor ilegal (la prohibición estuvo vigente de 1920 a 1933), escuchaban jazz (lo última en música) y bailaban. Pág. 18.

deducción: conclusión que se obtiene de la información disponible. Pág. 30.

deducir: llegar a una conclusión razonando a partir de hechos conocidos. Pág. 27.

defoliante: producto químico que al rociarse o espolvorearse en los árboles y plantas hace que sus hojas se caigan; a veces se usa en la guerra para que las fuerzas enemigas no tengan un lugar donde esconderse. Pág. 28.

depósito: acumulación de material en un tejido, estructura o fluido del cuerpo. Pág. 4.

desalojar: echar fuera. Pág. 43.

desenmascarar: dar a conocer un crimen o algo similar; revelar las malas acciones, especialmente publicando o transmitiendo la información relacionada con ellas. Pág. 10.

desintoxicación: acción de quitar de algo un veneno o un efecto venenoso. Pág. 17.

devastador: que causa enorme impacto, trastorno o destrucción. Pág. 13.

Dianética: Dianética es una precursora y subestudio de Scientology. Dianética significa "a través de la mente" o "a través del alma" (del griego *dia,* a través y *nous,* mente o alma). Es un sistema de axiomas coordinados que resuelve problemas relacionados con el comportamiento humano y las enfermedades psicosomáticas. Combina una técnica funcional y un método minuciosamente validado para aumentar la cordura al borrar sensaciones indeseadas y emociones desagradables. Pág. 1.

dieta: **1.** alimentos o bebidas que ayudan a las personas que están tratando de bajar de peso, normalmente porque son bajos en calorías o en grasas o contienen un sustitutivo de azúcar. Pág. 39.
2. alimentos que la persona toma regularmente. Pág. 45.

dinastía: serie o sucesión de gobernantes de la misma familia o linaje. Pág. 18.

dioxina: sustancia química altamente tóxica que está presente en algunos pesticidas y defoliantes (productos químicos que eliminan las hojas de los árboles), conocida por causar cáncer y defectos congénitos. Pág. 28.

distorsionar: cambiar la forma o apariencia de algo de tal manera que no sea clara o no esté en el orden correcto. Pág. 46.

dolor-drogas-hipnosis (pain-drug-hypnosis [PDH]): práctica usada por seres y grupos malintencionados en la que se administran dolor, drogas e hipnotismo para hacer que la víctima se convierta en un autómata y cometa crímenes o actúe de manera irracional. Pág. 10.

Doors of Perception, The (Las Puertas de la Percepción): libro escrito en 1954 por el autor inglés Aldous Huxley (1894–1963) en el que detalla sus experiencias al tomar mezcalina, una droga alucinógena.

El título del libro se basa en un pasaje de *The Marriage of Heaven and Hell (El Matrimonio del Cielo y el Infierno),* una obra del poeta, artista y místico inglés William Blake (1757–1827): "Si las puertas de la percepción se limpiaran, al hombre todo le parecería tal como es, infinito. Porque el hombre se ha encerrado hasta verlo todo a través de las estrechas aberturas de su caverna". Pág. 12.

dosis: cantidad de algo, por lo general una vitamina, medicamento o droga, que se toma con regularidad durante un lapso de tiempo en particular. Pág. 11.

Dr. Jekyll y Mr. Hyde: referencia a la novela *El extraño caso del Dr. Jekyll y Mr. Hyde* escrita en 1886 por el autor escocés Robert Louis Stevenson (1850-1894). En esta historia el Dr. Jekyll es un médico amable y agradable que desarrolla un interés en el dualismo de la personalidad. Experimentando con drogas, tiene éxito al separar los aspectos bueno y malo de su propia naturaleza; el malo se personifica en forma intermitente como Mr. Hyde. Finalmente no puede controlar su transformación y como el malvado Mr. Hyde comete un asesinato. Para eliminar a este personaje malvado, el Dr. Jekyll se suicida. La frase "Dr. Jekyll y Mr. Hyde" se usa en sentido figurado para describir a una persona que alterna entre dos personalidades en extremo diferentes, por lo general una encantadora y buena, la otra malvada y repulsiva. Pág. 3.

drogadicción: hábito de aquel que se deja dominar por alguna droga. Pág. 5.

E

efecto secundario: efecto indeseado de un fármaco u otra forma de tratamiento médico, tal como dolor de cabeza, subir de peso, depresión, etc. Pág. 31.

eficacia: capacidad de producir un resultado deseado. Pág. 28.

ejemplar: se aplica a lo que puede servir de ejemplo. Pág. 76.

electrochoque: descarga de entre 180 y 460 voltios de electricidad a través del cerebro de sien a sien o desde la frente hasta la parte posterior de uno de los lados de la cabeza. Esto causa una grave convulsión (sacudida incontrolable del cuerpo) o espasmo (inconsciencia e incapacidad para controlar los movimientos del cuerpo) de larga duración. Pág. 9.

elemento: uno de los factores que desempeñan un papel o que determinan el resultado de algún proceso o actividad. Pág. 5.

Eli Lilly: compañía farmacéutica estadounidense que desarrolla y fabrica diferentes productos médicos y drogas psiquiátricas. Pág. 13.

eliminación, procesos de: procedimientos para deshacerse de algo. Aquí se usa en relación con las rutas usuales (como los poros de la piel) que el cuerpo usa para deshacerse de partículas indeseadas en su interior. Pág. 43.

Elizabeth, Nueva Jersey: ciudad en el noreste de Nueva Jersey, EE.UU., que fue la ubicación de la primera Fundación de Investigación de Dianética Hubbard de 1950 a 1951. Pág. 9.

E-Metro: su nombre completo es *Electropsicómetro,* de *electro* (electricidad), *psique* (alma) y *metro* (medida), un aparato electrónico para medir el estado o cambio de estado mental de Homo sapiens. No es un detector de mentiras. No diagnostica ni cura nada. Lo usan los auditores para ayudar a la persona a localizar áreas de angustia o sufrimiento espiritual. Pág. 61.

engendrar: dar lugar; producir. Pág. 5.

enrolar: se refiere a lograr la cooperación o el apoyo de alguien. Pág. 13.

erradicar: quitar o eliminar totalmente. Pág. 17.

escalofriante: que causa una sensación de pavor o terror. Pág. 15.

escalofrío: sensación de frío, por lo común repentina, violenta y acompañada de contracciones musculares. Pág. 52.

escollo: dificultad, obstáculo. Pág. 4.

esencial: necesario; importante en una situación específica o para una actividad en particular. Pág. 40.

especulación: conclusión u opinión a la que se llega pensando o considerando algún tema. Pág. 64.

espionaje: uso de espías por parte de un gobierno u organización para descubrir los secretos militares, políticos o técnicos de otras naciones u organizaciones. Pág. 11.

espiritual: que se relaciona con el *espíritu,* la fuerza vital del individuo. Pág. 1.

esquizofrénico(a): persona que tiene dos (o más) personalidades aparentes. La palabra esquizofrenia viene del griego y está formado por skhizein (separar) y phren (mente, inteligencia). Pág. 46.

estampida: huída impetuosa que emprenden personas o animales. Pág. 50.

estandarte: lo que se convierte en reprensentación o símbolo de un movimiento o de una causa. Pág. 78.

estimulante: aquello que incremente temporalmente la actividad de un proceso vital o de un órgano, de manera específica, cualquier alimento, bebida u otro agente que incrementa temporalmente la actividad de ese proceso u órgano. Pág. 2.

estimular: causar actividad física en algo, como en un nervio o un órgano. Pág. 35.

estrago: destrucción o daño amplio y general. Pág. 20.

éteres de bifenilos polibromados: también llamados *PBDE*, son una clase de sustancias químicas que se usan como retardantes del fuego. Los PBDE pueden persistir en el medio ambiente y acumularse en los organismos vivos, y esas acumulaciones pueden provocar daños en el hígado, la tiroides y el sistema nervioso. Pág. 56.

ética: racionalidad hacia el máximo nivel de supervivencia para uno mismo y para los demás. Pág. 68.

ético: relacionado con los principios acordados sobre una conducta moral correcta. Pág. 36.

Eufaula, lago: lago en la parte este de Oklahoma, un estado en la parte sur de la zona central de Estados Unidos.

eufemístico(a): del eufemismo, palabra o expresión suave con la que se sustituye otra que se considera violenta, grosera o malsonante. Pág. 31.

exceso: que va más allá de la medida o regla; que sale de los límites de lo ordinario. Pág. 40.

exponer: hacer que alguien experimente un riesgo o lo corra. Pág. 28.

exposición: la experiencia de entrar en contacto con algo, tal como una condición ambiental, que tiene un efecto dañino. Pág. 28.

expulsar: se refiere a librarse de sustancias dañinas en una parte del cuerpo o en todo el cuerpo. Pág. 27.

extracto: sustancia que se ha sacado de un compuesto utilizando un proceso industrial o químico. Pág. 39.

exudación: hacer salir (la humedad) en forma de sudor a través de los poros. Pág. 43.

F

farmacéutico: involucrado o asociado con la preparación, venta y uso de drogas y medicamentos. Pág. 3.

farmacopea: libro que contiene las sustancias medicinales que se usan más comúnmente, y artículos sobre el modo de prepararlas y usarlas. Pág. 52.

fenómeno: hecho o suceso observable. Pág. 27.

fijación: la situación de estar *fijo,* tener la atención concentrada por completo en algo; preocupación obsesiva. Pág. 63.

First Cavalry Airmobile (Primero de Caballería Aerotransportada): división del Ejército de EE.UU. que utilizó helicópteros durante la guerra de Vietnam para atacar objetivos y para el transporte de soldados. Pág. 13.

fisiológico: relacionado con el cuerpo y con la manera en que se observa que funciona. De la ciencia de la *fisiología*, que estudia las funciones y actividades de los seres vivos y de sus partes, lo que incluye procesos físicos y químicos. Pág. 3.

fisión: división en fragmentos del núcleo (centro) de un átomo, acompañada de una tremenda liberación de energía. Pág. 40.

flashback: recuerdo, incidente o suceso del pasado que ocurre de nuevo en forma vívida en la mente de una persona. De manera específica, con ciertas drogas (como el LSD y drogas similares), es el resurgimiento de algún aspecto de la alucinación (que ocurrió estando bajo el efecto de la droga) en ausencia de la droga. La forma más común incluye imágenes visuales alteradas, con contornos ondulantes y alterados. Pág. 15.

Florida: estado en el sudeste de los Estados Unidos, que es principalmente una península entre el océano Atlántico y el Golfo de México. Pág. 28.

furtivo: que actúa a escondidas, especialmente referido a la persona que caza o pesca sin permiso o en un terreno vedado. Pág. 2.

G

gama: serie o conjunto de cosas distintas, pero de la misma clase. Pág. 9.

ganancia: acción de ganar, lograr o adquirir algo. Usado aquí como mejoramiento o resurgimiento; cualquier progreso del individuo. Pág. 29.

ganancia espiritual: mejoría personal en relación con las percepciones y habilidades del individuo. Pág. 48.

gastroenteritis: inflamación del estómago y los intestinos que causa vómitos y diarrea. *Gastro* significa estómago. *Entero* significa entrañas e *itis* significa inflamación. Pág. 52.

gastrointestinal: relacionado con el estómago y los intestinos. Pág. 76.

Georgia: estado al sudeste de Estados Unidos, en la costa del Atlántico. Pág. 31.

gradiente, en: acercarse a algo en forma gradual, paso a paso, nivel por nivel. Pág. 45.

Graduado de Dianética Hubbard, Curso de: *Curso de Graduado de Dianética de Hubbard,* un curso que entrena a una persona a enseñar Dianética Estándar. Pág. 71.

grano: unidad más pequeña de peso en el sistema de pesos que se usa en Estados Unidos, Gran Bretaña y Canadá, el cual originalmente se basaba en el peso de un solo grano de trigo. Un grano pesa 0.065 gramos. Pág. 35.

grasa: una de las tres clases principales de alimentos (las otras son las proteínas y los carbohidratos) que proporcionan energía al cuerpo. Las grasas proporcionan una fuente muy concentrada de energía para las células; actúan como componentes de las membranas que rodean a cada célula del cuerpo; y ayudan a la sangre a coagularse y al cuerpo a absorber ciertas vitaminas. Las grasas se encuentran en alimentos de origen animal o vegetal. Pág. 42.

Grateful Dead: banda estadounidense de rock que comenzó a mediados de la década de 1960, presentándose con frecuencia en el distrito de Haight-Ashbury de San Francisco (el centro de la cultura de los hippies y las drogas en esa época) y que tocaba lo que se conocía como "música psicodélica". Pág. 12.

Guerra del Golfo Pérsico: guerra entre Iraq y varios países organizados principalmente por EE.UU. y la Organización de Naciones Unidas (ONU). Ocurrió en 1991, suscitada por la invasión de Iraq a la pequeña nación rica en petróleo de Kuwait; los dos países están en el norte del Golfo Pérsico. Pág. 28.

guerra química: operaciones militares que incluyen sustancias químicas y gases venenosos como armas. Pág. 35.

H

Haight-Ashbury: barrio de San Francisco, California. Durante la década de 1960 Haight-Ashbury se convirtió en un centro para el movimiento hippie y fue conocido también por el uso generalizado de drogas. Pág. 13.

hematología: estudio de la sangre, los tejidos que producen la sangre y las enfermedades de la misma. Pág. 76.

herbicida: preparación química para matar plantas, especialmente hierbas. Pág. 28.

heroína: compuesto derivado de la morfina (droga utilizada en la medicina para aliviar el dolor) que se consume de forma ilegal como droga fuerte y adictiva; reduce la sensación de dolor, reduce el ritmo de la respiración y causa depresión. Los síntomas de abstinencia incluyen dolores tipo calambres en las extremidades, sudor, ansiedad, escalofríos, severos dolores musculares y de huesos, fiebre y más. Si se produce una sobredosis, puede ser mortal. Pág. 13.

hipnótico: droga u otras sustancias que provocan sueño o desorientación. Pág. 3.

hippies: jóvenes en los años 60 y 70 que rechazaban a la sociedad convencional y apoyaban el amor, la paz y los valores simples e idealistas. Pág. 13.

Hiroshima: puerto marítimo de Japón que fue arrasado en 1945 durante la Segunda Guerra Mundial (1939–1945) por una bomba atómica estadounidense. Esta fue la primera bomba atómica que se usó en una guerra y mató aproximadamente a 75,000 personas. Pág. 50.

"hongo mágico": tipo de hongo que se encuentra en México y en el suroeste de Estados Unidos, que contiene un *alucinógeno,* sustancia que produce alucinaciones y una distorsión marcada de los sentidos. Se sabe también que los alucinógenos conducen a pensamientos antisociales, desorientación y confusión y que en general producen los síntomas de demencia severa. *Véase también* **alucinación.** Pág. 13.

hostilidades: sentimientos o comportamiento agresivos o poco amistosos. Pág. 3.

Huxley, Aldous: (1894–1963) autor británico de novelas, poesía y ensayos. Es famoso por su obra *Brave New World (Un Mundo Feliz)* (1932), una novela que pronostica una sociedad futurista, deshumanizada, en la que la gente se apoya en píldoras para mejorar el estado de ánimo y escapar de la realidad. En *The Doors of Perception (Las Puertas de la Percepción)* (1954) Huxley escribió acerca de sus experiencias con drogas alucinógenas. *Véase también* ***Doors of Perception, The (Las Puertas de la Percepción).*** Pág. 12.

I

ilícito: no permitido por la ley, no aprobado por las reglas normales de una sociedad. Pág. 2.

ilusorio: irreal; relacionado con una *ilusión*, una percepción que representa lo que se percibe de una manera diferente a como es en la realidad. Pág. 63.

ímpetu: fuerza o motivo impulsor; impulso. Pág. 61.

implícito: incluido en otra cosa sin que esta lo exprese. Pág. 61.

impureza: sustancia que se añade a algo haciendo que deje de ser puro. Entre las impurezas que hay en el cuerpo están las drogas y otras sustancias químicas tóxicas; por ejemplo, conservantes alimenticios, insecticidas, pesticidas, y también los cristales residuales de drogas (si la persona ha consumido LSD o cualquier otra droga similar). Pág. 48.

incalculable: imposible de medir o estimar. Pág. 54.

incidente: experiencia, simple o compleja, relacionada con el mismo tema, localización o personas, que sucede en un periodo finito de tiempo como minutos, horas o días. Pág. 42.

indicador de la época: algo que muestra la situación actual de las cosas, en especial cosas que necesitan corregirse. Pág. 16.

indiscriminada, de manera: sin distinguir o diferenciar una cosa de otra. Pág. 3.

inducir: producir, causar, dar lugar a algo. Pág. 47.

industrial: relacionado con compañías que fabrican o venden un producto en particular o una gama de productos hechos a partir de materias primas (materiales sin procesar), a diferencia de productos que se cultivan y luego se venden. Pág. 28.

inexorable: que no cede ni disminuye en fuerza, velocidad o esfuerzo. Pág. 37.

inflación: una cantidad mayor de dinero que de bienes en circulación, lo que provoca un alza continua en el nivel general de los precios. Pág. 87.

ingerir: introducir en el estómago, a través de la boca, alguna cosa. Pág. 39.

insidioso: que actúa o procede de forma oculta o que aparentemente es inofensivo pero que en realidad tiene efectos graves. Pág. 15.

integridad: cualidad de ser honesto y hacer lo que uno sabe que es correcto pese a cualquier apremio o exigencia de que se haga lo contrario. Pág. 76.

interacción: actuar o ejercer influencia una persona o cosa sobre la otra. Pág. 33.

interactuar: actuar mutuamente, ejercer influencia uno sobre otro. Pág. 27.

interferir: impedir que ocurra algo en la forma en que se había planeado o como parte de su curso de acción normal. Pág. 33.

intrínseco: que es propio o característico de una cosa por sí misma y no por causas exteriores. Pág. 20.

investigaciones del Congreso: una investigación iniciada por el Congreso (cuerpo legislativo supremo en Estados Unidos), para investigar asuntos gubernamentales, acciones ejecutivas así como fechorías de índole pública o privada. Las investigaciones del Congreso normalmente llevan a la creación de nuevas leyes. Dichas investigaciones, normalmente llevadas a cabo por comités designados a tal efecto, se han iniciado en el pasado para desenmascarar escándalos y para sacar a la luz pública ciertos asuntos en los que se requieren reformas. Pág. 10.

irregulares, soldados: soldados que no forman parte de ningún cuerpo militar oficial. Pág. 13.

J

Jack el Destripador: nombre que se le da al asesino, que no ha sido identificado, de al menos siete prostitutas de Londres en 1888. Pág. 31.

Jones, Candy: nombre profesional de Jessica Wilcox (1925–1990), una de las más exitosas modelos estadounidenses de modas en la década de 1940, cuyas fotos agradaban a las tropas de Estados Unidos durante la Segunda Guerra Mundial (1939–1945). En la década de 1980, se publicaron experimentos de control mental que involucraban a Candy, presentándola como una de las primeras víctimas de los intentos de programar a los individuos sin que se dieran cuenta, usando drogas, hipnotismo y cosas similares. Pág. 10.

K

Katmandú: ciudad capital de Nepal, localizada en la parte central del país. Pág. 82.

Kennedy, Robert: Robert Francis Kennedy (1925–1968), líder político y legislador de Estados Unidos, hermano del Presidente John F. Kennedy (1917–1963). Robert Kennedy ocupó los puestos de Procurador General (1961–1964) y senador por el estado de Nueva York (1965–1968). Siendo candidato a la presidencia en 1968, el inmigrante jordano Sirhan Bishara Sirhan le disparó y lo mató. Pág. 10.

Kesey, Ken: (1935–2001) escritor estadounidense, autor de la novela *One Flew Over the Cuckoo's Nest (Atrapado Sin Salida)* escrita en 1962. Pág. 12.

L

lama: maestro de la doctrina budista tibetana. *Véase también* **Tíbet.** Pág. 69.

largo plazo: que se extiende hacia el futuro. Pág. 27.

Leary, Timothy: (1920–1996) psicólogo y autor estadounidense que promovió el uso de drogas psicodélicas, especialmente el LSD. Pág. 12.

legado: algo que se valora considerablemente y que se entrega como regalo a otros. Pág. 57.

letrina: baño o retrete colectivo. Pág. 78.

leucemia: una de las afecciones cancerosas de los tejidos que producen sangre, como la médula ósea, y que impide la producción normal de glóbulos rojos y blancos en el cuerpo. La leucemia causa efectos como dificultades en la coagulación, fiebres, mayor susceptibilidad a las infecciones, y a veces es mortal. Pág. 50.

léxico: vocabulario de una materia, de un grupo de personas o cosas similares Pág. 14.

ley seca: periodo en Estados Unidos (1920-1933) en que la ley federal prohibió la fabricación, el transporte y la venta de bebidas alcohólicas. Muchas personas ignoraron esta prohibición. Pág. 18.

lícito: legal, de acuerdo con la ley. Pág. 2.

***Life,* revista:** revista semanal estadounidense que se publicó entre 1936 y 1972 y que se centraba en el periodismo gráfico. Reapareció en 1978 como una revista de tirada mensual. Pág. 12.

línea temporal: registro consecutivo de imágenes mentales que se acumulan a lo largo de la vida de la persona. Pág. 46.

litio: elemento químico suave y muy ligero que se usa en la psiquiatría desde finales de la década de 1940 como supuesto tratamiento para la depresión maniaca. Algunos de los efectos colaterales de su uso son náuseas, calambres abdominales, diarrea, sed, visión borrosa, confusión, movimiento anormal de los músculos e irregularidades en el pulso. Pág. 36.

lluvia radiactiva: polvo y material radiactivo lanzado a la atmósfera por una explosión nuclear; el aire se lo lleva y posteriormente se deposita en el suelo. Pág. 40.

lobotomizada: que se le sometió a una *lobotomía prefrontal,* operación psiquiátrica que es realiza haciendo agujeros en el cráneo, penetrando en el cerebro y cortando los accesos nerviosos a los dos lóbulos frontales, lo que tiene como resultado que el paciente se transforme en un vegetal emocionalmente. Pág. 11.

lógico: (respecto a una acción, suceso, etc.) que parece natural, razonable o sensato. Pág. 30.

LSD: tipo de alucinógeno que originalmente usaron los psiquiatras para producir colapsos psicóticos temporales en pacientes y llegó a usarse ampliamente a mediados de la década de 1960. Los efectos moderados producidos por dosis bajas pueden incluir la sensación de estar separado del entorno, variaciones emocionales y un sentido alterado del espacio y el tiempo. Con dosis mayores, ocurren perturbaciones visuales e ilusiones. Las dosis fuertes pueden ser fatales. LSD es una abreviatura de *l(y) s(ergic acid) d(iethylamide), dietilamida de ácido lisérgico.* Pág. 12.

Luce, Henry: Henry Robinson Luce (1898-1967), editor y redactor estadounidense. Pág. 12.

M

Mafia: organización secreta italiana supuestamente involucrada en el contrabando y el tráfico de narcóticos y otras actividades criminales en Italia y otros países. Pág. 13.

magnitud: cantidad o tamaño en cuanto a medida, extensión, importancia o influencia. Pág. 39.

malestar: condición de una debilidad o incomodidad general del cuerpo, que con frecuencia ocurre al inicio de una enfermedad. Pág. 21.

Manchú: gente que originalmente llegó de Manchuria (una región montañosa en el noreste de China) y formó una dinastía poderosa que duró desde el siglo XVII hasta principios del siglo XX. Pág. 18.

manganeso: elemento metálico duro y brillante que se usa principalmente para fortalecer al acero. La exposición crónica al manganeso puede dañar el cerebro, dando lugar a una condición con síntomas similares al mal de Parkinson, como dificultad para hablar y rigidez en la cara. Pág. 56.

maniaco: que se relaciona con una *manía,* una condición caracterizada por un comportamiento tal como excitabilidad anormal, actividad o charla excesivas, etc. Pág. 9.

manifestación: demostración visible de la existencia, la presencia, las cualidades o la naturaleza de algo. Pág. 44.

maniquí: modelo de tamaño natural de un cuerpo humano. En la Zona de Pruebas de Nevada se usaron maniquís, automóviles y otras estructuras para mostrar los efectos de la radiación y de las ondas de choque. Se colocaron a ciertas distancias del punto en que se haría explotar la bomba nuclear y en ocasiones se fotografiaron desde ubicaciones protegidas durante la explosión. *Véase también* **Nevada.** Pág. 50.

Manson, Charles: (1934–), criminal infame sobre quien se dieron noticias sensacionalistas a finales de los años 60; tenía seguidores que vivían en una comuna en un rancho de California, practicaban el amor libre y consumían drogas. Él y sus seguidores asesinaron brutalmente a siete personas. Manson fue finalmente capturado, declarado culpable y enviado a prisión con cadena perpetua. Pág. 14.

maremoto: se refiere a cualquier movimiento o tendencia amplios o poderosos. En sentido literal un *maremoto* es una ola del océano grande y destructiva, en especial la producida por una erupción volcánica o terremoto submarinos. Pág. 14.

mariguana: droga hecha con las hojas secas y las flores de la planta del mismo nombre. La gente fuma, mastica o come la mariguana. Tiene efectos intoxicantes (reducción del control físico y mental) y distorsiona las percepciones sensoriales. La mariguana se usó extensamente en Estados Unidos en las décadas de 1960 y 1970, y llegó a ser la segunda droga más usada después del alcohol. Pág. 33.

marines: soldados que sirven en el Cuerpo de Marines (fuerza militar de Estados Unidos) que están entrenados y equipados para luchar en operaciones combinadas de tierra, mar y aire. Pág. 50.

Marks, John D.: antiguo funcionario del Departamento de Estado de Estados Unidos, Marks es el autor de *The Search for the "Manchurian Candidate": The CIA and Mind Control (La Búsqueda del "Candidato de Manchuria": La CIA y el Control Mental)* (1979). El libro se basa en miles de documentos que en cierta época estuvieron clasificados para presentar una visión general de los esfuerzos de la CIA para controlar el comportamiento humano. El título se refiere a la novela (que posteriormente se llevó al cine) *The Manchurian Candidate (El Candidato de Manchuria)* del escritor estadounidense Richard

Condon, acerca de soldados estadounidenses en la Guerra de Corea a quienes se somete a lavado cerebral y al regresar a Estados Unidos, no recuerdan su captura. Pero a uno de los soldados se le ha programado para matar y es parte de un complot comunista para asesinar a diferentes figuras políticas poderosas. Pág. 11.

materialista: relacionado con la doctrina filosófica que dice que la materia es la única realidad, y que todo lo que hay en el mundo, incluyendo el pensamiento, la voluntad y los sentimientos, se puede explicar únicamente en relación con la materia. Pág. 61.

mecanismo: medio por el que se produce un efecto o se logra un propósito. Pág. 34.

mercurio: metal pesado brillante que es líquido a temperatura ambiental. La ingestión de mercurio (por ejemplo, comer pescados provenientes de aguas contaminadas) puede dañar los riñones y el sistema nervioso central, causando temblores, mala circulación y en casos severos, daño cerebral. Pág. 56.

metanfetamina: droga estimulante muy adictiva que es extremadamente dañina para el sistema nervioso central. Causa la pérdida de apetito, ritmo cardíaco rápido e irregular, aumento de la presión sanguínea, irritabilidad, ansiedad, confusión, convulsiones e incluso la muerte. Pág. 13.

metilfenidato: estimulante del sistema nervioso. *Ritalin* es una marca registrada de esta droga. Pág. 3.

mg: abreviatura para *miligramo* unidad de peso que equivale a un milésimo de gramo. Pág. 51.

Michigan: estado en el centro norte de Estados Unidos. Pág. 9.

µg/ml: símbolos que significan *microgramo por milímetro*. Un microgramo es una unidad de masa o peso que equivale a una millonésima parte (micro = millonésima, símbolo µ) de un gramo. Un milímetro es una unidad de volumen que equivale a una milésima de litro. Pág. 77.

microscópicas etiquetas: impresión tan pequeña que es invisible sin el uso de un *microscopio* un instrumento que usa una lente o sistema de lentes para producir una imagen aumentada de un objeto. En una etiqueta, tal impresión sería aún más pequeña que lo que se conoce como impresión fina (o pequeña), los detalles de algo, como una etiqueta, documento o algo similar, que están impresos en letras pequeñas; a menudo se ven con desconfianza pues contienen condiciones indeseadas de las que se espera que nadie se entere. Pág. 3.

millas de vuelo: referencia a cualquier programa ofrecido por las compañías aéreas que permiten que la gente reciba crédito (se les llama millas, kilómetros, puntos o algo similar) cuando viaja en la aerolínea, usa cierta tarjeta de crédito, se hospeda en ciertos hoteles o satisface ciertos requisitos. Estos créditos pueden cambiarse por transporte aéreo gratuito u otros bienes y servicios. Pág. 2.

mineral(es): sustancia que existe en forma natural en la tierra; se usa para el crecimiento y mantenimiento de la estructura corporal, en el mantenimiento de los jugos gástricos y los fluidos que se encuentran en las células y alrededor de ellas. A diferencia de las vitaminas, los minerales son inorgánicos (no creados por seres vivos). Los minerales tienen un papel muy importante en muchas funciones del cuerpo, por ejemplo, el calcio (que se usa para tener huesos y dientes sanos) y el sodio (que regula la cantidad de agua en las células del cuerpo). Pág. 45.

Mississippi: estado del sudoeste de los Estados Unidos, en el golfo de México. Pág. 31.

MKULTRA: nombre en clave para un programa secreto de la Agencia Central de Inteligencia. Con el propósito de estudiar el control mental, el interrogatorio y la modificación del comportamiento, MKULTRA involucró el uso secreto de muchos tipos de drogas y otros métodos en un intento de alterar los estados mentales. Pág. 10.

ml, μg/: símbolos que significan *microgramo por milímetro*. Un microgramo es una unidad de masa o peso que equivale a una millonésima parte (micro = millonésima, símbolo μ) de un gramo. Un milímetro es una unidad de volumen que equivale a una milésima de litro. Pág. 77.

modelo de los pósters: chica cuyos encantos físicos, personalidad atractiva u otras cualidades glamorosas hacen que sea el tema apropiado de una fotografía que se colocará en la pared de un admirador. Pág. 10.

modelo sistémico: *sistémico* se refiere a algo que afecta o se extiende a través de todo un grupo o sistema (tal como una economía, mercado o sociedad en general). Un modelo es un ejemplo, representación o descripción simplificada de algo que tipifica o categoriza lo que ocurre en una base general. Un proyecto de investigación sobre justicia penal en Nueva York, al categorizar los diferentes tipos de violencia relacionada con las drogas, usa la expresión "modelo sistémico" para describir el tipo de violencia que se produce por el uso de drogas ilegales. Pág. 30.

moho del trigo: se refiere a un hongo que ataca la raíz del trigo y produce marcas rojizas en sus tallos y hojas. Pág. 42.

morfina: poderosa droga adictiva que se usa en medicina para aliviar el dolor grave. Dadas sus propiedades analgésicas, puede producir un sentimiento de indiferencia a lo que está sucediendo en el entorno. Otros efectos secundarios que acompañan a la morfina son náuseas y vómitos, así como estreñimiento. Se vende y se usa ilegalmente y una sobredosis puede producir la muerte. Pág. 46.

motivación: razón para hacer algo. Pág. 49.

MPH: una abreviatura para *Maestría en Salud Pública.* Pág. 57.

MS: abreviatura para *Maestría en Cirugía.* Pág. 56.

Mundo Feliz: alusión al título de una novela satírica (en la que se ridiculizan o desprecian los errores humanos) escrita en 1932 por el escritor británico Aldous Huxley, que describe una supuesta utopía (estado ideal) futurista que está fuertemente reglamentada por el gobierno; se utiliza la ciencia para controlar la reproducción, la inteligencia, el comportamiento, y se emplean drogas para mantener a la población tranquila y con una actitud agradable. La sociedad está estrictamente dividida en clases, y a cada una se le asigna su nivel de inteligencia, sus funciones y códigos de comportamiento. Pág. 20.

muscular y óseo: que se relaciona o involucra a los músculos y a los huesos. Pág. 76.

mutilar: herir o lesionar (a alguien) de manera tan grave que parte del cuerpo queda dañado permanentemente y ya no puede usarse; lisiar. Pág. 3.

N

narcopolítico(a): relacionado con una combinación o interacción de factores relacionados con narcóticos y asuntos políticos. Pág. 76.

Narcotic and Drug Research, Inc. (Corporación para la Investigación de Narcóticos y Drogas): organización educativa y de investigación, sin fines de lucro, que trabaja en el campo del avance del conocimiento científico en las áreas de abuso de drogas y alcohol, su tratamiento y recuperación, VIH, SIDA, jóvenes en riesgo, justicia criminal y otras áreas semejantes relacionadas, y que posteriormente se convirtió en National Development and Research Institutes, Inc. (Corporación de los Institutos Nacionales de Desarrollo e Investigación). Pág. 30.

náusea: sensación en el estómago que acompaña al impulso por vomitar. Pág. 47.

nazi: relacionado con el Partido Nacional Socialista Obrero Alemán, que en 1933, bajo el mando de Adolf Hitler, se apoderó del control político del país, suprimiendo toda oposición y estableciendo una dictadura sobre todas las actividades de la gente. Promovió e impuso la creencia de que el pueblo alemán era superior y que los judíos eran inferiores (y que por lo tanto debían ser eliminados). El partido fue abolido oficialmente en 1945 al término de la Segunda Guerra Mundial (1939–1945). *Nazi* viene de la primera parte de la palabra alemana para el nombre del partido, Nati(onalsozialistische), que se pronuncia nazi en alemán. Pág. 10.

"Neblina Morada": nombre en jerga (leguaje especial y familiar que usan ciertos grupos) para un tipo de LSD, producido como una tableta de color morado. Pág. 16.

negro arte: se refiere a una técnica o práctica que es misteriosa y siniestra. Literalmente, otro término para *magia negra,* una forma de magia que se usa para propósitos malignos, y consiste en cosas como recurrir a los espíritus malignos o el diablo. Pág. 9.

Nepal: país en el sudeste de Asia, al norte de la India en una región montañosa. Pág. 82.

neurológico: relacionado con los nervios y el sistema nervioso. Pág. 57.

neurotoxina: sustancia que daña, destroza o impide el funcionamiento de los tejidos nerviosos. Pág. 57.

neutro(a): que no tiene efecto sobre algo porque representa un equilibrio entre dos o más cualidades. Pág. 33.

Nevada: estado en el oeste de Estados Unidos. En la zona suroeste del estado, aproximadamente 105 kilómetros al norte de Las Vegas, se encuentra la *Zona de Pruebas de Nevada,* 3,500 kilómetros cuadrados de desierto donde se realizaron pruebas con bombas atómicas (1951–1992). De las más de novecientas pruebas, aproximadamente cien ocurrieron en la atmósfera, especialmente durante la década de 1950 y principios de la década de 1960; posteriormente las pruebas fueron subterráneas. *Véase también* **prueba atmosférica de armas nucleares.** Pág. 50.

niños soldados: referencia a la práctica en algunas partes de África y Asia de reclutar preadolescentes como soldados. Pág. 4.

níquel: metal plateado que es resistente a la corrosión, en pilas y en placas electromagnéticas. Ciertas formas de níquel son tóxicas para los pulmones cuando se inhalan, y pueden causar cáncer en los pulmones. Pág. 56.

nombre en clave: nombre que se usa para disfrazar la identidad o la naturaleza de algo, por ejemplo, una operación militar. Pág. 10.

nota marginal: comentarios o información que se añaden a lo que se ha dicho. Pág. 50.

novocaína: marca registrada de un anestésico (droga que anula el dolor) que usan los médicos y los dentistas. Pág. 44.

nuclear: relacionado con el uso o producción de energía mediante la fisión o fusión nuclear. La *fisión* nuclear es la división del núcleo (parte central) de un átomo acompañada de una gran liberación de energía, como en la bomba atómica. La fisión nuclear es la combinación de átomos que va acompañada de una gran liberación de energía, como en la bomba de hidrógeno. Pág. 34.

nutrimento: sustancia que es necesaria para mantener vivo al cuerpo y ayudarle a crecer. Los nutrimentos se clasifican como carbohidratos, proteínas, grasas, vitaminas, minerales y agua. Pág. 33.

O

objetivo: algo que se intenta alcanzar mediante esfuerzos y acciones; propósito; meta. Pág. 49.

Oklahoma: estado en el sur de la zona central de Estados Unidos. Pág. 72.

opiáceo: droga que se usa para inducir sueño y aliviar el dolor. Pág. 1.

Oregon: estado del noroeste de Estados Unidos, en la costa del Pacífico. Pág. 31.

organización: se refiere a una Iglesia de Scientology. Pág. 70.

Organización Mundial de la Salud: agencia de las Naciones Unidas establecida en 1948 con el propósito declarado de mejorar la salud de la gente a nivel mundial y de prevenir o controlar las enfermedades contagiosas. Pág. 56.

óxido de azufre: *óxido* es un compuesto químico de oxígeno y otro elemento. El óxido de azufre es un compuesto de oxígeno y azufre; por ejemplo, el dióxido de azufre es un gas incoloro venenoso con un olor fuerte. Se libera en la atmosfera al quemar carbón mineral, gasolina o sustancias similares, y puede ser irritante para los ojos y el sistema respiratorio, causa tos violenta, dificultad para respirar, edema pulmonar (acumulación de líquido en los pulmones) y neumonía. Pág. 56.

óxido de nitrógeno: *óxido* es un compuesto químico de oxígeno y otro elemento. El óxido de nitrógeno es un compuesto de nitrógeno y oxígeno; por ejemplo el dióxido de nitrógeno, un gas altamente venenoso color marrón que se encuentra a menudo en el humo del escape de los vehículos que carecen de mecanismos para el control de la contaminación. El dióxido de nitrógeno causa irritación respiratoria y es dañino para los pulmones. Pág. 56.

P

panacea: respuesta o solución para todas las dificultades; algo que lo cura todo. Pág. 37.

pandémico: que constituye una pandemia, algo nocivo que afecta a todas o casi todas las personas de una región. Pág. 1.

Pandora, caja de: en la mitología clásica, una caja que Zeus, rey de los dioses, le dio a Pandora, la primera mujer, con instrucciones estrictas de no abrirla. La curiosidad de Pandora pronto la dominó y abrió la caja. Todos los males y miserias del mundo salieron volando para afligir a la humanidad. Pág. 9.

paquete de estudio: también llamado *paquete de curso*, un paquete es una colección de materiales escritos que un estudiante tiene que aprender en un curso. Pág. 71.

patentemente: de manera patente, es decir, de forma que se ve con claridad. Pág. 3.

PCB: abreviatura de *bifenil policlorado. Véase también* **bifenilo policlorado.** Pág. 56.

percepción: impresión del entorno que entra a través de los "canales de los sentidos", tales como los ojos, la nariz y los oídos. Hay más de cincuenta percepciones que el cuerpo físico usa, las más conocidas son la vista, el oído, el tacto, el gusto y el olfato. Pág. 12.

percibir: enterarse de la existencia de una cosa por los sentidos, o por la inteligencia servida por los sentidos. Pág. 46.

periferia: posición o estado de tener sólo una pequeña participación en algo. Pág. 10.

personalidad: suma total de características físicas, mentales, emocionales y sociales de un individuo. Pág. 3.

Peste Negra: nombre para una variedad de *peste bubónica,* una enfermedad sumamente contagiosa y a menudo fatal que se propagó por Europa y gran parte de Asia en el siglo XIV, causando la muerte de más de cincuenta millones de personas, aproximadamente la cuarta parte de la población. Pág. 20.

petróleo, derivados de: productos que provienen del petróleo crudo, como la gasolina, el gas natural, el combustible diesel, el aceite combustible, los plásticos, la pintura y las fibras sintéticas, como el nailon. Pág. 38.

peyote: droga hecha de un cactus pequeño del mismo nombre originario de México y del suroeste de Estados Unidos. El peyote altera la percepción y puede producir alucinaciones (percepciones sensoriales falsas de alguien o algo que no está ahí en realidad). Pág. 46.

piloto: que se hace o produce como un experimento o prueba antes de hacerlo disponible para un uso más amplio. Pág. 17.

plácido(a): quieto, sosegado, sin perturbación. Pág. 78.

plomo: metal gris pesado y blando que se usa en las baterías de los autos, como soldadura y como protección para la radiación. Si el cuerpo absorbe plomo, este puede dañar el sistema nervioso, el cerebro, el hígado, y el aparato digestivo. Pág. 56.

premisa: propuesta que forma la base de una conclusión. Pág. 30.

principado: se refiere a un área o región que se considera que funciona en forma independiente, como si no fuera regida por otro poder más que el propio. Pág. 13.

procesamiento: aplicación de las técnicas de Dianética y Scientology (llamadas *procesos*). Los procesos se relacionan directamente con incrementar la capacidad del individuo para sobrevivir, incrementar su cordura o capacidad para razonar, su capacidad física y su disfrute general de la vida. También se le llama auditación. Pág. 11.

Procesamiento Objetivo: *objetivo* se refiere a lo que puede observarse. Los procesos objetivos se relacionan con el universo físico. Extrovierten la atención de la persona. Un procesos de Scientology es un conjunto preciso de preguntas que se hacen o de instrucciones que se dan para ayudar a una persona a averiguar cosas acerca de sí misma o de la vida, y para mejorar su condición. Pág. 63.

proceso: **1.** Acción continua, operación o serie de cambios que ocurren de una manera definida. Pág. 10. **2.** En Scientology, un conjunto preciso de preguntas que se hacen o instrucciones que se dan para ayudar a la persona a averiguar cosas acerca de sí misma o de la vida y mejorar su condición. Pág. 62.

procesos de eliminación: procedimientos para deshacerse de algo. Aquí se usa en relación con las rutas usuales (como los poros de la piel) que el cuerpo usa para deshacerse de partículas indeseadas en su interior. Pág. 43.

proliferación: un crecimiento rápido o expansión de algo (y a menudo excesivo). Pág. 5.

propenso: que tiene la tendencia a sufrir, hacer o experimentar algo, (típicamente algo lamentable o indeseable). Pág. 14.

Prozac: droga desarrollada por la compañía farmacéutica estadounidense Eli Lilly a finales de la década de 1980, que se convirtió en el antidepresivo de mayor venta en el mundo. Pág. 31.

prueba atmosférica de armas nucleares: pruebas de bombas nucleares que se llevan a cabo haciéndolas explotar en la atmósfera. En la década de 1950 y principios de la década de 1960, se realizaron aproximadamente cien de estas pruebas en la Zona de Pruebas de Nevada. La prueba atmosférica de bombas más extensa, que fue parte de una serie de veinticuatro pruebas que se realizaron entre mayo y octubre de 1957, se llevó a cabo a principios de julio de 1957, cuando se hizo explotar una bomba de más de 70 kilotones.

(Un *kilotón* es una medida de la capacidad de fuerza explosiva de un arma nuclear. Un kilotón equivale a la explosión de mil toneladas de TNT, un explosivo químico muy poderoso). *Véase también* **Nevada.** Pág. 50.

prueba, a: capaz de resistir algo. Pág. 76.

psicodelia: el mundo de las personas, los fenómenos o las cosas relacionadas con *drogas psicodélicas,* drogas (como el LSD) capaces de producir alucinaciones y otros efectos psíquicos anormales que parecen ser trastornos mentales. Pág. 9.

psicodélico: relacionado con el periodo o la cultura asociada con las *drogas psicodélicas,* drogas (como el LSD) capaces de producir alucinaciones y otros efectos psíquicos anormales que parecen ser trastornos mentales. Pág. 12.

psicofarmacológica: relacionado con los fármacos y sus efectos en la mente. Pág. 3.

psicopolítico: caracterizado por la interacción de la política o de sucesos y comportamientos políticos, especialmente para intentar manejar el comportamiento y la personalidad con el objeto de lograr fines políticos. Pág. 5.

psicosomático: *psico* se refiere a la mente, y *somático* se refiere al cuerpo; el término *psicosomático* quiere decir que la mente hace que el cuerpo enferme o se refiere a dolencias creadas físicamente en el cuerpo por la mente. La descripción de la causa y fuente de las enfermedades psicosomáticas se encuentra en *Dianética: La Ciencia Moderna de la Salud Mental.* Pág. 21.

psicoterapéutico: uso de productos farmacéuticos fuera del ámbito médico. Pág. 3.

psicoterapia: de *psique* (alma) y *terapia* (curar). Medio para mejorar la condición mental y espiritual de una persona. Pág. 21.

psicotrópico: que afecta la actividad mental, el comportamiento o la percepción. Pág. 1.

puesto de escucha: ciudad u otra ubicación a la que se considera un lugar donde puede obtenerse información o noticias; en sentido literal se refiere a una posición de avanzada, oculta, cerca de las líneas del enemigo, para detectar sus movimientos por medio de escuchar. Pág. 13.

R

racional: en completa posesión de las capacidades mentales; mentalmente cuerdo. Pág. 37.

radiactivo: se usa para describir una sustancia que emite energía nociva en forma de torrentes de partículas muy pequeñas por la descomposición de átomos dentro de la sustancia. Esta energía puede ser muy dañina o letal para la salud de la gente expuesta a ella. Pág. 34.

rancio: (se dice del aceite o los alimentos que contienen grasas o aceites) que tiene un olor o sabor desagradable porque está pasado (echado a perder). Pág. 39.

Rand Corporation: organización de investigación sin fines de lucro que estudia problemas relacionados con políticas tanto militares como no militares de Estados Unidos. Aunque es una corporación independiente, la mayoría del financiamiento de la Rand Corporation proviene del Departamento de Defensa de Estados Unidos. Se inició en 1946 como *Proyecto RAND,* que significa Research and Development (Investigación y Desarrollo). Pág. 13.

"rayos de amnesia": forma de radiación de alta frecuencia, del mismo orden que las microondas (forma de energía invisible que se usa en el radar, en las transmisiones de radio y en aparatos para cocinar o calentar). Los investigadores han demostrado que la exposición a dicha radiación ha podido producir pérdida de la memoria. Pág. 11.

rayos X: ondas invisibles que consisten en diminutas partículas de energía que son capaces de atravesar materiales blandos de la misma manera que la luz pasa a través del cristal. Cuando esto ocurre, se transfiere energía al material y el resultado puede ser dañino. Se les llama *rayos X* porque cuando se les descubrió eran rayos de origen desconocido. Los médicos y los hospitales los utilizan normalmente para mostrar imágenes del interior del cuerpo. Pág. 40.

reacción: acción de responder a algo en una forma o comportamiento en particular. Pág. 31.

reacción cruzada: respuesta a veces negativa que llega de ambos lados de algo. Pág. 48.

reactivar: comenzar a funcionar o a suceder de nuevo (o hacer que comience a funcionar o a suceder de nuevo) después de que ha transcurrido un periodo. Pág. 15.

Real Academia Sueca de Ciencias: organización independiente cuyas oficinas centrales están en Estocolmo, Suecia. Su propósito principal es promover la investigación científica y defender la libertad científica. Pág. 56.

recaer: volver a caer en vicios, errores o cosas semejantes. Pág. 42.

recorrido: serie de pasos que son procesos (ejercicios) que tienen indicadores específicos que muestran que se han completado y que están diseñados para manejar un aspecto específico de la acumulación de molestias, dolores, fracasos, etc., en la persona. Pág. 41.

Recorrido de Drogas: se hace después del Programa de Purificación y elimina los efectos del uso de drogas por parte de la persona. Al abordar el daño mental y espiritual que resulta del uso de drogas, se experimenta considerable alivio y la expansión del ser espiritual. El resultado es una persona libre de los efectos mentales y espirituales de las drogas, los medicamentos y el alcohol. Pág. 41.

reestimulación: reactivación de un recuerdo del pasado debido a circunstancias similares del presente que se aproximan a circunstancias del pasado. Pág. 48.

reestimular: reactivar un recuerdo del pasado. *Véase también* **reestimulación.** Pág. 42.

reestimulativo: que causa reestimulación. Pág. 48.

refrigerante: sustancia que se usa para reducir la temperatura de un sistema extrayendo el calor que se produce en la operación del sistema. Los refrigerantes utilizados en la industria, también llamados *fluidos de transferencia térmica,* se encuentran sobre todo en aparatos eléctricos y de refrigeración y también se usan para enfriar el filo de las herramientas para cortar metal. Pág. 28.

régimen: **1.** Sistema regulado de dieta, ejercicio, forma de vida, etc., pensado para preservar o restaurar la salud o para lograr cierto resultado. Pág. 4.
2. Sistema, programa, plan o curso de acción concretos para lograr cierto resultado. Pág. 43.

regla operativa: principio que funciona o que se usa. Pág. 49.

repercusión: efecto o resultado que se causa en otra cosa. Pág. 13.

residual: que está presente o existe, a menudo se refiere a una cantidad que ha quedado al final de una serie de acciones, condiciones, etc. Pág. 4.

retórico: lenguaje calculado para tener un efecto persuasivo o impresionante. Pág. 5.

Ritalin: tipo de anfetamina que es la droga que más se prescribe en el mundo para el supuesto trastorno psiquiátrico conocido como Trastorno de Déficit de Atención e Hiperactividad (TDAH). Se prescribe a adultos y a niños y es altamente adictiva. *Véase también* **anfetamina.** Pág. 36.

rivalizar: contender unos con otros, aspirando a lograr algo. Pág. 34.

S

Santa Mónica: ciudad al sudoeste de California, en la costa del océano Pacífico; un suburbio de Los Ángeles. Pág. 13.

saturar: llenar, ocupar o usar por completo o en exceso. Pág. 34.

Scientology: Scientology es el estudio y tratamiento del espíritu con relación a sí mismo, los universos y otros seres vivos. La palabra Scientology viene del latín *scio,* que significa "saber en el sentido más pleno de la palabra" y la palabra griega *logos,* que significa "estudio". En sí, la palabra significa literalmente "saber cómo saber". Pág. 1.

sedante: droga utilizada para provocar somnolencia y aliviar temporalmente el dolor, el nerviosismo o la agitación. Pág. 3.

Ser: persona; identidad. Pág. 20.

sílice: mineral muy duro vidrioso, que se encuentra comúnmente en forma de arena. Las partículas muy pequeñas de sílice, si se inhalan, pueden producir enfermedades pulmonares y cáncer. Pág. 56.

síndrome: grupo de síntomas que caracterizan o indican una condición peculiar. Pág. 28.

Síndrome de la Guerra del Golfo: grupo colectivo de dolencias médicas del que informaron los veteranos que sirvieron en la Guerra del Golfo Pérsico (1991). El término Enfermedad o *Síndrome de la Guerra del Golfo* surgió en los años posteriores a la guerra, cuando hasta 100,000 de los 697,000 soldados estadounidenses que habían servido en el Golfo Pérsico llegaron a los Centros Médicos para Veteranos con quejas de enfermedades misteriosas que atribuyeron a su servicio durante la guerra. *Véase también* **Guerra del Golfo Pérsico.** Pág. 28.

Síndrome de trastornos de estrés postraumático: condición persistente de estrés mental y emocional que ocurre como resultado de una lesión o de un trauma psicológico severo. Pág. 57.

sintetizar: producir o hacer una sustancia química combinando sustancias más simples. Pág. 13.

Sirhan Sirhan: Sirhan Bishara Sirhan, inmigrante jordano al que se le encontró culpable del asesinato del líder político de Estados Unidos Robert F. Kennedy (1925–1968) en junio de 1968. Pág. 10.

sistema: el cuerpo humano en su totalidad, o una parte de él, considerada como una parte funcional. Pág. 15.

sistema inmune: *inmune* significa relacionado con la resistencia del cuerpo a la enfermedad o con la creación de resistencia. El sistema inmune es una combinación de interacción entre todas las formas en que el cuerpo reconoce las células, los tejidos, los objetos y organismos que no son parte de sí mismo y dar respuesta inmune para combatirlos. Pág. 76.

socioeconómico: se refiere a la combinación o interacción de factores sociales y económicos. Pág. 2.

sociológico: relacionado con necesidades y problemas sociales. También, que tiene que ver con la *sociología,* el estudio de los individuos, grupos e instituciones que constituyen la sociedad humana, incluyendo la forma en que los miembros de un grupo responden entre sí. Pág. 15.

sociopolítico: se refiere o significa la combinación o la interacción de factores sociales y políticos. Pág. 13.

solvente: sustancia, especialmente líquida, que es capaz de disolver otras sustancias. Pág. 38.

somático: dolores o incomodidades físicas de todo tipo. Puede significar verdadero dolor, como el causado por una cortada o un golpe; o puede significar malestar, como debido al calor o al frío; puede significar picazón; en resumen, cualquier cosa físicamente incómoda. Pág. 52.

sombrilla: se refiere a algo, tal como una organización o una política, que abarca o incluye varios grupos o elementos. Pág. 10.

someter a: hacer que alguien sufra o experimente (algo desagradable). Pág. 11.

sorprendente: que crea asombro repentino o consternación o perplejidad. Pág. 28.

subjetivo: que existe en la mente; depende de la mente o de la percepción de un individuo para su existencia; opuesto a "objetivo". Pág. 66.

Sueños Ácidos: relato sobre la historia del LSD que incluye su uso por parte de la CIA en experimentos de control mental, escrito en 1986 por los autores estadounidenses Martin A. Lee y Bruce Shlain. Pág. 11.

T

tejido: material orgánico del cuerpo en los seres humanos, los animales y las plantas que está formado de grandes cantidades de células que son similares en sus formas y funciones. Los cuatro tipos de tejidos son: nervioso, muscular, cutáneo (de la piel) y conectivo (que mantiene unidas las partes del cuerpo). Pág. 4.

thetán: unidad viva, el individuo o identidad real distinta del cuerpo. La palabra se tomó de la letra griega theta (θ), el símbolo matemático utilizado en Scientology para indicar la fuente de la vida y la vida en sí. Pág. 70.

Thorazine: marca registrada de una *cloropromacina,* sustancia química que se usa en la psiquiatría como tranquilizante. La Thorazine se administra a pacientes psiquiátricos que se consideran violentos. Pág. 36.

Tíbet: territorio al sur de Asia Central, que ha sido parte de China desde la década de 1950. Antes de que China se apoderara del Tíbet, este era tradicionalmente un reino religioso en donde la opinión de los monjes budistas tenía mucho peso en lo relacionado con el gobierno. La religión del Tíbet es una rama del budismo que trata de encontrar la liberación del sufrimiento de la vida y el logro de un estado de paz y felicidad completas. Pág. 69.

tiempo presente: tiempo que es ahora y que se convierte en tiempo pasado casi con la misma rapidez con que se observa. Es un término que se aplica en forma general al entorno que existe en el ahora: el suelo, el firmamento, las paredes, los objetos y las personas en el entorno inmediato. En otras palabras, la anatomía del tiempo presente es la anatomía del cuarto o el área en que uno está en el momento en que lo percibe. Pág. 46.

titulares, digna de los: que merece darse a conocer en forma prominente, como en los encabezados de periódicos o en las transmisiones de noticias. Pág. 12.

tocón fosforescente: madera en descomposición que emite un resplandor pálido, que proviene de ciertos tipos de hongos, que crece en madera podrida. Pág. 70.

toxicología: rama de la ciencia que estudia la naturaleza, efectos y detección de los venenos y sus antídotos. Pág. 56.

toxina: originalmente se refería a un veneno que produce un organismo vivo y que puede causar enfermedades. Más tarde se ha usado para referirse a cualquier sustancia que se acumula en el cuerpo y que se considera dañina o venenosa para el sistema. Pág. 1.

tranquilizante: droga de acción supuestamente calmante. Pág. 33.

transgresión: acto en que alguien violó alguna costumbre, ley o código moral. Pág. 76.

trauma: impresión intensa, negativa y duradera. Pág. 65.

tridimensional: que tiene, o parece tener, tres dimensiones: altura, ancho y profundidad. Un cubo es tridimensional y un cuadrado es bidimensional, pues sólo tiene altura y ancho. Pág. 46.

U

UCLA: siglas de *Universidad de California de Los Ángeles,* uno de los varios campus (conjunto de terrenos y edificios) en diferentes lugares del estado que conforman esta universidad. Es una universidad financiada por el estado que se fundó en el siglo XIX. El campus ofrece estudios en los campos del arte y las ciencias, humanidades, administración de negocios, arquitectura, ingeniería, leyes y medicina. Pág. 56.

última generación: que pertenece o se relaciona con cualquier *generación* reciente, una etapa específica en el desarrollo de un producto, tecnología o algo similar. Pág. 3.

urticaria: enfermedad de la piel, caracterizada por la aparición de pequeños granos o de manchas rojizas y por un picor o escozor muy intenso. Pág. 52.

Utah: estado en el oeste de Estados Unidos. Pág. 78.

V

Valium: tranquilizante adictivo que a menudo prescriben los médicos o psiquiatras para "aliviar" la ansiedad o la tensión. Pág. 36.

veneno atmosférico: cualquier veneno que existe en una atmósfera en concreto. Un ejemplo de veneno atmosférico serían las sustancias químicas tóxicas que una fábrica lanza al aire de una ciudad, envenenando la atmósfera para todos sus habitantes. Pág. 33.

veneno: sustancia que cuando se introduce en el cuerpo, o el cuerpo la absorbe, destruye la vida o daña la salud. El término comúnmente se aplica a una sustancia capaz de destruir la vida mediante una acción rápida o cuando se ingiere en pequeñas cantidades. Pág. 33.

Verano del Amor: el verano de 1967, una expresión que se usa con relación a la reunión de jóvenes en Haight-Ashbury para las celebraciones de la contracultura durante el final de la primavera y el verano de 1967. *Véase también* **contracultura** y **Haight-Ashbury.** Pág. 16.

"viaje": experiencia que tiene alguien que toma drogas como el LSD o cualquier droga similar. Un "viaje" puede involucrar una gama de sensaciones desde las moderadas hasta las intensas y con frecuencia consisten en euforia (una falsa sensación de regocijo) y alucinaciones (el hecho de percibir objetos carentes de realidad y experimentar sensaciones sin una causa externa). Estas experiencias también pueden ocurrirle a una persona que tomó drogas en el pasado, aunque no las tome en el presente. Pág. 13.

Viet Cong: miembro o simpatizante de las fuerzas armadas dirigidas por los comunistas del Frente de Liberación Nacional de Vietnam del Sur, que lucharon para unir el país con Vietnam del Norte entre 1954 y 1976. *Véase también* **vietnamita.** Pág. 13.

vietnamita: de *Vietnam,* país tropical del sudeste asiático, escenario de una guerra a gran escala desde 1954 hasta 1975 entre Vietnam del Sur y Vietnam del Norte (este último controlado por los comunistas). Estados Unidos entró a esta guerra a mediados de la década de 1960 dándole su apoyo al Sur. A finales de la década de 1960, debido a la duración de la guerra, al alto número de bajas estadounidenses y a la participación de Estados Unidos en crímenes de guerra contra los vietnamitas, la participación estadounidense se hizo más y más impopular en Estados Unidos y fue objeto de duras protestas. En 1973, a pesar de que continuaban las hostilidades entre Vietnam del Norte y del Sur, Estados Unidos retiró todas sus tropas. Para 1975, los comunistas habían invadido Vietnam del Sur y la guerra se dio oficialmente por terminada, llevando a la unificación del país (1976) como la República Socialista de Vietnam. Pág. 13.

Virginia: estado localizado al este de Estados Unidos, al sur de Washington, D.C. Pág. 9.

vitalidad: gran energía y vivacidad; una gran cantidad de energía física y mental, por lo general combinada con un acercamiento vigoroso y alegre a las situaciones y actividades. Pág. 29.

Vitamina B_1: vitamina que se encuentra en los guisantes, los frijoles, la yema del huevo, el hígado y la cubierta exterior de los cereales. Ayuda a la absorción de los carbohidratos y hace posible que los carbohidratos liberen la energía necesaria para la función celular. Un *carbohidrato* es una de las tres principales clases de alimentos (los otros son las grasas y las proteínas) que proporcionan energía al cuerpo. Pág. 37.

W

World Trade Center (WTC): complejo en la ciudad de Nueva York que incluía dos rascacielos (de 110 pisos, los más altos en Estados Unidos). Estos edificios fueron destruidos el 11 de septiembre de 2001, cuando dos aviones de pasajeros, secuestrados por terroristas, se estrellaron contra ellos, causando el peor desastre en la historia relacionado con el derrumbamiento de un edificio que causó la muerte de unas 2,800 personas. Pág. 56.

Z

Zona Cero: sitio de los ataques al World Trade Center el 11 de septiembre de 2001. Originalmente la expresión se refería a la parte de la zona situada inmediatamente abajo de la explosión de un arma nuclear. Pág. 28.

Zyprexa: marca de una droga psiquiátrica. Pág. 3.

ÍNDICE

A

B

D

E

F

G

H

I

J

K

L

M

N

O

P

Q

R

S

T

V

W

Z

LA COLECCIÓN DE
L. RONALD HUBBARD

"Para realmente conocer la vida", escribió L. Ronald Hubbard, "tienes que ser parte de la vida. Tienes que bajar y mirar, tienes que meterte en los rincones y grietas de la existencia. Tienes que mezclarte con toda clase y tipo de hombres antes de que puedas establecer finalmente lo que es el hombre".

A través de su largo y extraordinario viaje hasta la fundación de Dianética y Scientology, Ronald hizo precisamente eso. Desde su aventurera juventud en un turbulento Oeste Americano hasta su lejana travesía en la aún misteriosa Asia; desde sus dos décadas de búsqueda de la esencia misma de la vida hasta el triunfo de Dianética y Scientology, esas son las historias que se narran en las Publicaciones Biográficas de L. Ronald Hubbard.

Tomada de la colección de sus propios archivos, esta es la vida de Ronald como él mismo la vio. Cada número se enfoca en un campo específico y proporciona los hechos, las cifras, las anécdotas y fotografías de una vida como ninguna otra:

Aquí está la vida de un hombre que vivió por lo menos veinte vidas en el espacio de una.

The L. Ron Hubbard Series LETTERS & JOURNALS
The L. Ron Hubbard Series ADVENTURER/EXPLORER DARING DEEDS & UNKNOWN REALMS
The L. Ron Hubbard Series LETTERS & JOURNALS
The L. Ron Hubbard Series THE SHAPING OF POPULAR FICTION
The L. Ron Hubbard Series LETTERS & JOURNALS
The L. Ron Hubbard Series POET/LYRICIST THE AESTHETICS OF VERSE
The L. Ron Hubbard Series COMPOSER & PERFORMER
The L. Ron Hubbard Series PHOTOGRAPHER WRITING WITH LIGHT
The L. Ron Hubbard Series FOR A GREENER WORLD
The L. Ron Hubbard Series MASTER MARINER AT THE HELM ACROSS SEVEN SEAS
RON
The L. Ron Hubbard Series
A PROFILE

Para pedir copias de *La Colección de L. Ronald Hubbard*
o para libros o conferencias de L. Ronald Hubbard
sobre Dianética y Scientology, contacta:

EE.UU. e Internacional

Bridge Publications, Inc.
5600 E. Olympic Blvd.
Commerce, California 90022 USA
www.bridgepub.com
Tel: (323) 888-6200
Número gratuito: 1-800-722-1733

Reino Unido y Europa

New Era Publications
International ApS
Smedeland 20
2600 Glostrup, Denmark
www.newerapublications.com
Tel: (45) 33 73 66 66
Número gratuito: 00-800-808-8-8008